Comme la fois où est le mille soixante-troisième ouvrage publié chez VLB ÉDITEUR.

Direction littéraire: Geneviève Jannelle et Marie-Eve Leclerc-Dion
Direction artistique: Marie-Pier Gilbert
Révision linguistique: Fleur Neesham
Correction: Julie Robert

Catalogage avant publication de Bibliothèque et Archives nationales du Québec et de Bibliothèque et Archives Canada

Vedette principale au titre:

Comme la fois
ISBN 978-2-89649-670-9
1. Écrivains québécois - 21e siècle - Anecdotes. 2. Écrivains québécois - 21e siècle - Biographies. I. Allard, Caroline, 1971- .

PS8081.1.C65 2015 C848'.60308 C2015-942045-8
PS9081.1.C65 2015

VLB éditeur
Groupe Ville-Marie Littérature inc.*
Une société de Québecor Média
1055, boulevard René-Lévesque Est, bureau 300
Montréal (Québec) H2L 4S5
Tél.: 514 523-7993, poste 4201
Téléc.: 514 282-7530
Courriel: vml@groupevml.com
Vice-président à l'édition: Martin Balthazar

Distributeur:
Les Messageries ADP inc.*
2315, rue de la Province
Longueuil (Québec) J4G 1G4
Tél.: 450 640-1234
Téléc.: 450 674-6237
* filiale du Groupe Sogides inc.,
filiale de Québecor Média inc.

VLB éditeur bénéficie du soutien de la Société de développement des entreprises culturelles du Québec (SODEC) pour son programme d'édition.
Gouvernement du Québec — Programme de crédit d'impôt pour l'édition de livres — Gestion SODEC.
Nous remercions le Conseil des arts du Canada de l'aide accordée à notre programme de publication.

Financé par le gouvernement du Canada
Funded by the Government of Canada | Canada

Dépôt légal: 3e trimestre 2015

editionsvlb.com

COMME LA FOIS OÙ ____________

Recueil d'histoires vraies sous la direction de
Geneviève Jannelle et Marie-Eve Leclerc-Dion

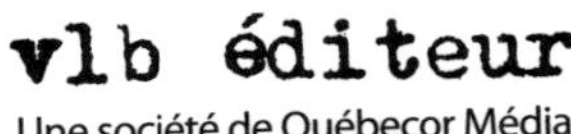

PRÉFACE

Ce recueil, c'est Geneviève qui en a eu l'idée:

GENEVIÈVE: Eille Marie, c'est pas pire ton affaire de blogue, là... « Comme la fois », tu devrais en faire un recueil.

MARIE-EVE: Ah, tu penses?

GENEVIÈVE: Oui oui, y'a quelque chose là. Je peux même t'aider à approcher les auteurs, si tu veux.

MARIE-EVE: Les auteurs?

GENEVIÈVE: Ben pour écrire dans le recueil.

MARIE-EVE: Ah, faque ce serait pas juste mes textes?

GENEVIÈVE: Ben... je pense que ça pourrait être intéressant d'avoir plusieurs plumes, tu trouves pas?

MARIE-EVE: Oui oui...

GENEVIÈVE: ...

MARIE-EVE: Mais moi, j'écrirais-tu dans le recueil?

GENEVIÈVE: Ben oui, t'aurais ton texte.

MARIE-EVE: Ah. Mon texte. Juste un.

GENEVIÈVE: ...

MARIE-EVE: Pis t'es sûre que ce serait pas plus le fun si c'était juste mes textes?

GENEVIÈVE: Euh… t'écris bien Marie là, mais t'es pas ben ben connue, pis y'a pas mal juste ta mère qui lit ton blogue.

MARIE-EVE: Ben j'ai eu au moins 35 « like » sur mon dernier texte.

GENEVIÈVE: Si tu le dis.

MARIE-EVE: …

GENEVIÈVE: …

MARIE-EVE: OK mais si j'embarque, je vais-tu pouvoir avoir mon texte en premier dans le recueil, au moins ?

GENEVIÈVE: Ben oui.

MARIE-EVE: Pis ma face en gros sur la couverture ?

GENEVIÈVE: Ben non.

COMME LA FOIS OÙ MA TANTE M'A OFFERT UN CHANGEMENT DE SEXE.

PAR MARIE-EVE LECLERC-DION

Mes amis ne le savent pas. Mon chum non plus. Pas même mon père — que Dieu ait son âme — qui a quitté ce monde dans une complète ignorance de la chose. Les seules à partager mon secret sont ma mère et ma tante Hélène. Mais plus pour longtemps.

Plus jeune, j'ai subi une grosse opération afin de ne plus être un homme. Voilà, c'est dit.

Mes parents auraient dû se douter qu'il y aurait quelque chose de louche avec moi; il y avait tout de même des signes avant-coureurs. À l'échographie, par exemple, quand le médecin a fièrement annoncé mon sexe à mon père.

— Félicitations, monsieur Dion, vous allez avoir un beau petit garçon!

— Hum, ça me surprendrait beaucoup...

— Oui oui, regardez: on voit son petit pénis, juste ici.

— Docteur, je vous gage un brun que c'est une fille.

On peut comprendre qu'avec déjà quatre filles à son actif, mon père avait depuis longtemps perdu espoir d'avoir un jour un gars. Un gars, un vrai. Un Simon avec qui il aurait feuilleté le magazine *Sentier Chasse-Pêche*, les yeux brillants et le moulinet fébrile. Un Martin à qui il aurait appris à différencier la Muddler, la Miller, la Miracle et la Delta à gros cul. Un Jonathan qu'il aurait emmené passer chaque week-end de son enfance à son camp de pêche, une cabane en bois rond située à deux heures de Québec, plus une heure à rouler sur une route de gravelle sinueuse qui donne mal au cœur. Un vieux *shack* sans électricité, sans télé, sans Canal Famille, avec comme seuls amis des lièvres ultra-indépendants et une chauve-souris emprisonnée dans la cheminée, les jours d'émotions fortes.

« C'est un gars que je voulais », me disait mon père quand il était fâché contre moi. Quand après deux heures de statu quo sur le lac, sans même une seule sardine pour taquiner notre ligne, j'osais lui poser la question fatidique: « Papa, on rentre-tu bientôt ? », on était pourtant là, comme deux belles truites, à encore penser que ça allait mordre. Que si on changeait de *spot*, peut-être. À se convaincre qu'après tout, il avait déjà fait une pêche miraculeuse près de la petite île, juste là. Qu'on ne savait jamais quand le vent pouvait tourner. Mais qu'il fallait vraiment que j'arrête de chanter dans la chaloupe, car ça faisait peur aux poissons. Il regrettait aussitôt ses paroles.

Voilà pourquoi quand je suis née en fille, ce n'est pas mon père qui a été surpris, mais ma mère. Comme plusieurs femmes qui viennent de donner la vie, elle a pleuré en serrant sa progéniture pour la toute première fois. Mais ce ne sont pas des larmes de joie qui sont sorties, disons plutôt des larmes d'étonnement. C'est qu'elle a fait le saut, paraît-il, en me voyant la fraise. Je suis arrivée dans ce monde avec l'abondante chevelure… d'un homme dans la soixantaine. Mon front grimpait jusque sur le dessus de ma tête, puis laissait place à une petite moquette bien fournie. Mes tantes venaient à l'hôpital faire les gougou gaga de circonstance et s'appelaient ensuite pour parler dans le dos de mon front.

« Je suis arrivée dans ce monde avec l'abondante chevelure… d'un homme dans la soixantaine. »

— Mais qu'est-ce qui s'est passé avec ce bébé-là ?

— As-tu vu ses cheveux ? On dirait qu'elle fait de la calvitie.

— C'est dommage, deux si beaux parents.

— Ça se pourrait-tu que l'infirmière se soit trompée de bébé ?

Bien entendu, j'étais beaucoup trop jeune à l'époque pour réaliser que ma pilosité faisait jaser. La cruelle vérité a pourtant réussi à trouver son chemin jusqu'à moi en secondaire un, quand Tommy Cadorette, un gars de deux, m'a lâché: « Hey, salut Pincho ! » en passant devant ma case. Je n'ai plus jamais osé regarder Tommy dans les yeux par la suite. J'ai commencé à ne plus regarder les gens dans les yeux tout court, en fait. C'est comme si mes pupilles s'étaient automatiquement affaissées. Car à partir de ce moment-là, j'ai su. J'ai su que les autres savaient. Que ce n'était plus seulement le petit miroir grossissant de la salle de bain qui partageait mon secret. Quelqu'un avait finalement osé parler de l'éléphant dans la pièce: mon *pinch* mou... d'adolescente. Je ne parle pas de quelques poils qu'on puisse blondir avec du peroxyde, oh non: une moustache à papa, un balai de concierge sous le nez, une ombre qui te suit partout.

La honte.

Je me suis mise à développer des trucs pour le camoufler: la face dans le foulard, le col roulé déroulé, la moue de Française. Je posais mon poing sous mon nez, à la façon du Penseur, pour essayer de le dissimuler. Comme les porteurs de broches complexés qui mettent leur main devant leur bouche pour rire, moi, je mettais ma main devant ma bouche simplement pour respirer.

Ça aurait pu s'arrêter là. On ne frappe pas un homme déjà à terre. Mais non, il a fallu que mon petit cousin Manu en rajoute. À ce souper de Noël *circa* 1995, alors que nous étions paisiblement installés à la table des enfants à nous bourrer la face dans la dinde et les atocas, il a pris son couteau et l'a enfoncé bien profondément dans ma plaie ouverte: « Eille, on dirait que t'as une moustache », qu'il m'a lancé sans aucun préambule. « Eille, on dirait que t'es une fille », que j'aurais dû lui répondre du tac au tac. Avec sa voix de castrat et ses cheveux blonds en coupe champignon à la Nick Carter, il avait toute une face à claques.

Je suis aussitôt allée me réfugier dans la salle de bain. J'ai barré la porte et je me suis installée dans le grand bain bourgogne de notre hôte, matante Marjo. Un beau bain bourgogne parfaitement agencé à une toilette de la même couleur, à des lavabos jumeaux, à un porte-brosses à dents et à un verre de rinçage. Là, avec un sens parfait du drame, j'ai pleuré ma moustache.

Manu, incapable de se la fermer, est allé colporter la scène à la table des adultes : « Maman, Marie-Eve pleure parce que je lui ai dit qu'elle avait une moustache... Je peux-tu avoir du dessert ? »

Sa mère, matante Hélène, n'a pas eu le choix de réparer les pots cassés. Quand je suis finalement sortie de ma cachette de porcelaine bourgogne, dix minutes plus tard, elle m'a annoncé l'heureuse nouvelle: « Pour ta fête cette année, je t'offre des séances d'électrolyse. » Je ne voulais pas devenir une femme à barbe, j'ai accepté.

Ça adonnait bien, Hélène était esthéticienne. Elle accueillait ses clientes dans une pièce recluse de son sous-sol. La table pliante, la loupe grossissante, les deux ronds chauffants, la cire verte qui devient brune en fondant, le show de vapeur qui dilate les pores, les rayons mauves pour guérir plus vite: elle avait tout ça, matante. Et, bien sûr, la machine à électrolyse. Seul hic, il fallait attendre que j'aie mes premières règles avant de commencer l'opération. Car c'est bien connu dans ma famille: pas d'épilation ni de permanente avant d'être une femme. Matante Hélène et sa sœur Huguette de chez Huguette Coiffure étaient catégoriques là-dessus, personne ne va jouer là-dedans tant que le système hormonal ne s'est pas régulé.

OK, mais moi, ça ne me tentait pas de patienter. J'étais une gymnaste et un bon pourcentage de mon épiderme prenait donc l'air douze heures par semaine, étalant ainsi une varicelle de petits poils qui me poussaient un peu partout. Quand je levais les deux bras bien droits, après une acrobatie, les poils de mes aisselles se hérissaient comme s'ils voulaient saluer la foule eux aussi. Heureusement pour moi, ça s'arrêtait là. Pas comme cette fille qui avait l'entrejambe bien garni et qu'on avait rebaptisée PP: Poils de plotte. Je n'en suis pas particulièrement fière. Mais elle laissait sa toison s'étendre généreusement de chaque côté de son petit léotard, alors qu'elle n'aurait eu qu'à la rentrer à l'intérieur de sa culotte pour la contenir. On ne comprenait pas pourquoi on avait droit à ce spectacle gratuit.

L'entraîneuse-chef non plus d'ailleurs. Un jour, elle s'est fâchée: «Je ne veux plus voir un seul arbre de ta forêt dépasser, c'est-tu clair?» Pauvre PP.

Tout ça pour dire que non, je n'avais pas du tout envie d'attendre d'être une femme pour me faire dépoiler. Pas avec Tommy Cadorette que je pouvais croiser à chaque tournant. Pas à un âge où le bonheur passe principalement par l'apparence. Combien de fois avais-je souhaité avoir hérité des cheveux naturellement droits de mon amie Geneviève Longpré? *Là*, j'aurais été heureuse. Elle bougeait la tête et ils la suivaient dans un mouvement parfaitement parallèle, avec à peine une demi-seconde de retard. Elle avait l'air d'un joli abat-jour frangé. Alors que moi, je m'apparentais plutôt à une boule disco. Chaque matin, j'emprisonnais ma crinière dans une queue de cheval la plus lisse possible. Plus mes cheveux étaient sales, mieux c'était. Mon élastique tirait tellement sur ma couette que mes yeux en devenaient temporairement bridés et ma tête, parfois migraineuse. Mais ce n'était pas grave: j'étais belle. Aussi, quand j'ai employé les grands moyens pour déclencher mes règles, c'était dans un pur désir d'accéder au bonheur.

Ça n'a pas été très difficile: je n'ai eu qu'à mettre la main sur une serviette hygiénique, un gros feutre rouge indélébile et à laisser traîner mon œuvre dans le panier d'osier de la salle de bain. Ma mère n'y a vu que du feu.

On a commencé mon épilation par les jambes. Matante Hélène a appliqué sa grosse cire chaude sur mes deux piquets. Elle les a beurrés d'un bon centimètre de tire d'érable, de la cheville à l'aine. Jusque-là, tout allait bien. C'est au moment d'enlever la lave durcie que ça s'est compliqué. En théorie, on tapote l'extrémité de la longue plaque brune pour la faire décoller et puis hop, on tire un grand coup et le reste suit. En pratique, c'est une autre paire de manches. Quand Hélène a voulu utiliser la technique du diachylon, la cire s'est cassée avant même d'arriver au milieu du tibia. Elle a répété le mouvement, mais la plaque s'est rompue au sous-genou, au genou, au sur-genou, au quart de cuisse, à la mi-cuisse, au trois-quarts… J'étais trop stressée: ma peau moite était responsable de ce festival de galettes. Lorsque mon esthéticienne bénévole a finalement réussi à tout retirer, j'ai cru qu'elle m'avait entièrement dépecée. Je lui ai aussitôt hurlé de ne pas enlever l'autre côté. Marie-Madeleine avait bien une jambe de bois, je pouvais vivre avec une jambe de cire. Mon bourreau a fait la sourde oreille. « Faut souffrir pour être belle », s'est-elle justifiée.

Quand on a constaté que mon seuil de tolérance à la douleur n'était pas très élevé, on est allées à la pharmacie, ma mère et moi. « C'est pour la moustache de ma fille », m'a-t-elle trahie au jeune homme derrière le comptoir. Mes yeux n'en finissaient plus de la fusiller.

— Ben là, qu'est-ce que t'aurais voulu que je dise ?

— Que c'était pour toi, franchement.

— Mais j'en ai pas, moi, de moustache, ma chouette. Il le voit bien, le pharmacien.

— Ben c'est ça : moi, j'ai une grosse moustache, pis tout le monde la voit, pis y'a aucun gars qui va jamais vouloir de moi, pis je vais juste finir par mourir SEULE avec ma moustache.

Le pharmacien nous a recommandé une crème anesthésiante à 40 $ qu'il fallait appliquer au moins une heure avant le supplice. Je me suis donc badigeonné la moustache en blanc et j'ai couvert le tout d'un gros bout de Saran Wrap qui venait me chatouiller les narines quand je respirais. Pendant les 38,2 kilomètres de voiture qui nous séparaient de chez matante Hélène, j'ai fait la morte, le dossier du siège passager incliné à l'horizontale. S'il avait fallu que quelqu'un me voie comme ça.

Ma première séance d'électrolyse a duré cinq heures. Cinq. Heures. On prenait des pauses aux soixante minutes, autant pour ma tortionnaire que pour moi. Le temps de voir le regard horrifié de mon cousin Manu devant ma babine qui ne cessait d'enfler. Si j'ai dû rester si longtemps alitée sur la table d'esthétique, c'est la faute à l'électrolyse, cette fausse bonne technique d'épilation qui nécessite de procéder poil par poil. On insère une microaiguille à la base de l'ennemi, on lui envoie de minidécharges électriques en appuyant sur une pédale avec de gros souliers beiges et on répète le tout chaque semaine, jusqu'à ce qu'il ne repousse plus jamais.

La suppression des pointes de ma moustache s'est relativement bien déroulée — on parle d'un 6-7 sur une échelle de douleur de 10. C'est rendu dans ma zone hitlérienne que l'opération s'est corsée. La crème à 40 $ ne faisait plus effet depuis déjà quelques grimaces, dans une région beaucoup plus sensible — un bon 8,6 sur 10. Mes larmes ont commencé à couler sans que je puisse les retenir. Elles glissaient de chaque côté des lunettes de bronzage, atterries sur mes yeux pour recouvrir mon regard de martyre, et allaient mourir dans le creux de mes oreilles. « Pense à quelque chose de beau », m'a dit mon esthéticienne pour se déculpabiliser. J'ai visualisé les longs cheveux droits de Geneviève Longpré. Ça m'a calmée un peu, jusqu'à ce que Hélène s'attaque aux poils logés sur le bord de mes narines. Encore à ce jour, c'est officiellement la plus grande souffrance que j'aie ressentie de ma vie. Chaque fois qu'elle injectait le courant électrique dans mon poil, un spasme de douleur me traversait tout le corps. C'en était trop, je l'ai sommée de tout arrêter.

— Mais on les voit vraiment bien, a-t-elle protesté. Veux-tu avoir de gros poils noirs sur le bord du nez ?

— Oui.

On a recommencé ce marathon tous les mardis pendant des années, à coup d'une heure, puis d'une demi-heure: la moustache en crème de Grand-papa Bi, la longue route, le siège incliné, la chambre de torture, la table où s'allonger, la loupe grossissante, l'aiguille, les gros souliers beiges, les coups de pédale, les larmes, la trâlée de gales rouges le lendemain, l'enflure d'écureuil pour quelques jours, le fond de teint liquide pas tout à fait de la bonne couleur, volé dans la trousse de maquillage de ma mère, pour cacher tout ça.

— On dirait que t'as du fond de teint sur le haut de la lèvre, m'avait un jour dit une fille à l'école.

— Euh, je sais vraiment pas de quoi tu parles.

J'ai fait un calcul rapide. Quatre ans d'électrolyse à raison d'une fois par semaine, soit environ 200 heures, au taux horaire de 60 $, plus un pourboire de 10 %, plus l'essence de ma mère: la grande gueule de mon petit cousin m'aura permis d'économiser près de 15 000 $. Je comprends maintenant pourquoi les femmes à barbe préfèrent se faire engager dans un cirque. Il ne faut pas seulement souffrir pour être belle, il faut aussi être riche, apparemment. Merci Manu.

J'aimerais pouvoir dire que si c'était à recommencer, je ne le ferais pas. Que j'assumerais ma différence, que ça ferait même partie de mon charme. Mais non. J'ai beaucoup trop peur pour ça. Trop peur de finir par mourir SEULE avec ma moustache.

Marie-Eve Leclerc-Dion a un don: elle est capable de trouver des trèfles à quatre feuilles. Enfant, elle les vendait 25 ¢ dans un kiosque devant chez elle. Elle gagne aujourd'hui sa vie comme conceptrice-rédactrice dans une agence de publicité à Montréal et se consacre en parallèle à l'écriture de son premier roman. Son blogue personnel, commelafois.com, qu'elle néglige de façon croissante depuis son lancement en 2011, a inspiré le présent recueil.

COMME LA FOIS OÙ J'ÉTAIS AMOUREUX FOU.

PAR STÉPHANE DOMPIERRE

C'était mon âme sœur. Ma douce moitié. Mon petit trésor d'amour adoré. Mais, pour l'instant, elle l'ignorait. Personne ne s'était donné la peine de le lui dire et moi-même je n'avais pas encore eu le courage de lui adresser la parole. Nos longues marches sur une plage de sable fin, nos conversations interminables l'hiver, dans un chalet, au coin du feu, nos ébats sexuels fréquents dans des lieux improbables, tout ça se passait surtout dans ma tête. Exclusivement. Le bon mot est « exclusivement ».

Tout ça se passait exclusivement dans ma tête.

La majorité des élèves avaient terminé leurs cours, le cégep fermait ses portes cette journée-là, la bibliothèque était déserte. J'étais assis dans un des nombreux fauteuils libres, accompagné de deux amis qui jouaient des rôles de figurants dans mon drame. C'est une tâche ingrate que d'être figurant dans mes histoires de cœur, ce n'est pas là que vous aurez vos quinze minutes de gloire. Il faut beaucoup d'écoute et de patience, et je ne vous en donnerai pas en retour. C'est comme ça.

— Non, mais. Vous vous rendez pas compte, vous deux. Faut tout vous expliquer : je suis le roi des cons. Elle est serveuse au café étudiant. Je déteste le café étudiant parce que c'est rempli de gens et que les gens, j'aime pas beaucoup ça, mais j'y ai traîné toute la session. Pour la regarder. Je buvais même leur café de marde. En avez-vous déjà bu ? Il sent le suppositoire et il goûte le fond de cendrier. J'ai même déjà été jusqu'à lui commander un *smoothie*. En avez-vous déjà bu ? Ça goûte le fruit vomi. Je capote sur elle. Ses longs cheveux bruns, ses grands yeux, ses lèvres pulpeuses, sa jolie face de fille drôle et rieuse, ses hanches, l'hypnotisant roulis de son cul, son décolleté quand elle se penche pour décrotter une table où j'ai craché mon *smoothie*, ses cuisses quand elle porte sa jupe rouge et noire courte en laine avec ses Doc Martens quatorze trous. Je suis allé la regarder mille fois, souvent sans rien commander, je restais dans l'entrée, je faisais semblant de chercher quelqu'un, je cherche Paul, mais où se cache-t-il encore, ce sacripant ? Je finissais par m'en aller parce que je savais que j'oserais pas lui parler, à part pour lui commander un muffin aux bleuets. Je suis certain qu'il y a même pas de bleuets là-dedans. Je me suis dit que le courage me viendrait, mais il est pas venu. Là, c'est raté. On est à peu près les trois seuls taouins encore à l'école, ils vont mettre les cadenas sur les portes dès qu'on va sortir d'ici, je la verrai pas de l'été. Si ça se trouve, elle a terminé le cégep, elle entre à l'université et je la reverrai plus jamais. Et Facebook existe pas encore. Je pourrai même pas regarder des photos d'elle prises à Cuba pour soulager ma peine en me crossant frénétiquement. Sans l'espoir qu'elle s'assoit un jour sur ma face, je suis pas certain que la vie vaut la peine d'être vécue. Est-ce qu'un de vous deux aurait une arme à feu ? Je me ferais sauter la cervelle ici, là, tout de suite, plutôt que de le faire en rentrant chez moi. Ça va pas atténuer la peine de mes parents, mais ça leur évitera des frais de nettoyage. Ici, ça va souiller des livres que personne ouvre de toute façon. Allez, go, je suis prêt. Donnez-moi un *gun*. Je veux un *gun*. Dans ma bouche. Tout de suite. Bang !

« Sans l'espoir qu'elle s'assoit un jour sur ma face, je suis pas certain que la vie vaut la peine d'être vécue. »

Un des figurants m'a gentiment provoqué.

— Et si tu la croises aujourd'hui, tu fais quoi ?

— Ben là. Je lui parle, c'est sûr ! Ce serait ben trop un signe du ciel.

Statistiquement parlant, ça me semblait impossible qu'elle soit encore dans l'école. L'impossibilité, voilà une chose qui m'a toujours rendu courageux. Je pouvais faire mon frais chié sans crainte; la situation ne se produirait pas.

Elle s'est produite.

Isabelle, parce qu'elle a un nom, cette fille, oui, Isabelle est passée devant nous, pas du tout consciente de ce soliloque que j'avais bramé à propos d'elle. Cette Isabelle marchait d'un pas allègre, légère, aérienne avec ses Docs, ses cuisses, ses yeux, ses cheveux. Ce cul. En apercevant mon visage blême, ma mâchoire décrochée et mes bras tombés, mes deux figurants ont vite compris que c'était elle, que c'était l'Isabelle de mes rêves et de mes cauchemars qui sortait de la bibliothèque sans nous regarder, sans s'arrêter, sans me laisser le temps de réfléchir. Ils guettaient ma réaction en s'échangeant des coups de coude et des sourires niais. Mes pieds pesaient chacun trois tonnes, mais je me suis levé, j'ai réussi à bouger, un petit miracle avait lieu. Je l'ai suivie et je l'ai rattrapée à son casier. Je n'avais trotté que sur quelques mètres, mais mes jambes tremblotaient et j'avais le front qui suait d'inesthétique manière. Mais bon. J'étais là, devant elle, il me fallait tenter d'ouvrir la bouche pour communiquer en faisant fi de mon corps qui menaçait de s'autodétruire dans ce maelström émotif.

— Allô.

— Allô.

Nous parlions la même langue. Je m'en doutais, mais, tout de même, ça me jetait par terre. Tout chez cette fille me jetait par terre. J'étais une feuille morte balayée par le vent glacial d'une tempête imprévue. Elle m'inspirait un haïku. Pas que je savais tout à fait ce qu'était un haïku à ce moment-là, mais, quand enfin est apparu Wikipédia, j'ai fait mes recherches: le haïku est un poème extrêmement bref visant à dire l'évanescence des choses. Il doit donner une notion de saison. Voici donc.

Cette feuille d'automne
Dans un vent de tempête
malmenée, c'est moi.

Pas mal, hein? La saison était carrément nommée, c'était bref et l'évanescence de ladite chose (moi) ne faisait aucun doute. Je créais donc des haïkus avant même de savoir tout à fait ce que c'était. Cette fille faisait naître chez moi des forces que je ne me connaissais pas. Mais ce n'était pas le temps de lui déclamer des poèmes, aussi brefs et limpides soient-ils. C'était le temps de lui demander ce qu'elle faisait de bon cet été, de lui demander son numéro de téléphone, de lui demander aussi si elle voulait me faire l'honneur d'être la première à accueillir ma saucisse bien raide dans son pain moelleux. (Tout n'est pas que poésie.)

Oui, bon, je sais, j'avais du retard, il semble que le moindre cégépien avait copulé mille fois et que j'attendais encore mon tour; j'étais le dernier à être choisi, comme quand on faisait les équipes dans les cours d'éduc. On m'avait bien prodigué une fellation en secondaire quatre, mais ça ne comptait pratiquement pas, c'était une cochonne d'une autre école, elle faisait ça en série, j'étais peut-être le huitième de sa soirée, et puis j'étais si excité que je n'en avais gardé qu'un souvenir vague. Si ce n'était qu'elle mâchait de la gomme et que, de retour à la maison, soulageant une envie d'uriner, je m'étais demandé d'où venait cette surprenante odeur de Hubba Bubba au raisin pour me rendre compte, stupéfait, que ça venait de ma queue, je ne me souviendrais plus de rien.

Bref, Isabelle avait répondu « allô », elle avait fait sa part, c'était à mon tour de dire ou de faire quelque chose, parler, m'enfuir, peu importe. À ma grande surprise, j'ai parlé.

— Je m'appelle Stéphane. J'ai l'air relax comme ça, mais c'est juste une façade, je vais peut-être vomir sur tes pieds. Je travaille à temps partiel chez Discus, au centre d'achats Duvernay. T'sais, le magasin de disques où y'a jamais les disques qu'on cherche ? Je sais pas pourquoi je te dis ça. En fait, oui, je le sais, évidemment que je le sais, c'est à cause du stress. Je sais plus où me mettre. Je sais plus où regarder. Oups. Je viens de regarder tes seins. Je vais faire comme si j'avais pas remarqué que t'avais remarqué. Et puis ? À part de t'ça ? Tu fais quoi de bon cet été ?

J'y vais de mémoire. J'ai peut-être simplement dit « Tu fais quoi de bon cet été ? » Elle a daigné me répondre, cette créature mythique éclipsant de loin les fabuleuses licornes qui, même si ce sont des arcs-en-ciel qu'elles expulsent de leur anus plutôt que des cacas, ne dégagent pas une telle puissance érotique. (Désolé, licornes. Vous n'êtes pas de taille.) Isabelle partait chez sa mère-grand pour tout l'été. Quelque part à la campagne. Ensemble, elles feraient des conserves, de la nage et du tricot. Je trouvais qu'on ne se connaissait pas beaucoup pour que j'insiste pour me joindre à elles et je ne savais ni nager, ni tricoter et encore moins faire des conserves. Alors je me suis contenté de mourir par en dedans tout en gardant le sourire. Elle m'a sauvé de justesse d'une combustion spontanée engendrée par la chaleur de mon désespoir quand elle m'a promis qu'elle passerait me voir à la boutique de disques à son retour. Je ne l'ai pas crue, évidemment. J'ai aussi oublié de lui poser mes deux autres questions — numéro de téléphone, saucisse —, mais sa politesse était suffisante pour que j'envisage de continuer à vivre.

J'ai vécu, donc. Toutes sortes de choses.

Courte liste de choses vécues cet été-là.
(Dans le désordre.)

1. Pour dire vrai, je ne me souviens plus de rien.

Avec tout ça, on s'en doute, l'été a passé très vite. Si vite que j'étais encore puceau alors que la rentrée scolaire approchait.

Je ne l'avais pas crue, mais elle l'a fait. Elle est venue me voir.

Je m'obstinais avec un client qui désirait acheter un calendrier de Bon Jovi qu'il confondait avec un 33 tours. Je tentais de parfaire son éducation en lui énumérant les mille différences entre les deux, mais il ne voulait rien entendre. Au moment où j'hésitais entre le pousser hors du magasin à grands coups de balai ou me cacher sous le comptoir pour lui faire croire que j'avais mystérieusement disparu, elle est arrivée, comme ça, sans tambour, trompette, tapis rouge ni carrosse.

Elle m'a salué d'un signe de la main et s'est mise à farfouiller machinalement dans un bac de disques en attendant que je me libère. Je me suis libéré en faisant payer le calendrier au crétin né d'une union consanguine.

J'ai tout de même pris le temps de lui souhaiter une bonne écoute. Merci, bonne journée, revenez nous voir.

C'était un bel après-midi d'été et nous étions dans un centre d'achats sans fenêtres: il n'y avait plus personne dans la boutique à part Isabelle et moi.

Ça m'a pris un moment avant d'oser m'approcher. J'affichais tous les signes physiques de la stupéfaction et je tentais de reprendre le contrôle de mon corps. Sa présence me faisait toujours un drôle d'effet. J'ai ramanché mes bras qui étaient tombés par terre, j'ai raccroché ma mâchoire, replacé mes yeux dans leurs orbites, remis droit mes sourcils arrondis, essuyé la bave que j'avais au coin des lèvres et la sueur que j'avais au front. Je me suis enfin approché d'elle et je lui ai bêlé le «allô» le plus chevrotant de l'histoire des salutations. Elle m'a lancé un «allôôô!!!» enjoué, tout en accents circonflexes et en points d'exclamation et m'a donné deux grosses bises sonores sur les joues. Je me suis détendu un peu. Après les politesses d'usage, sans que je lui pose la question, elle m'a raconté ce qu'elle avait fait pendant les vacances. Grand-mère, conserves, nage, tricot, je résume le plus succinctement possible parce que ça n'avait rien d'intéressant. C'était même d'un ennui profond. Isabelle me gavait d'inutiles détails sur son emploi du temps dans les dernières semaines, me donnait des chiffres étonnamment précis (soixante-quatre pots de sauce tomate, huit fois le tour du lac, trois foulards, deux pantoufles) et pouvait me parler des saveurs des crèmes glacées qu'elle avait mangées avec la même intensité que si elle avait été déclarée cliniquement morte l'espace d'une minute et me révélait les secrets de l'au-delà.

La magie que j'espérais et dont j'avais rêvé tout l'été ne s'est pas produite. Nos corps n'ont pas fusionné pour ne faire plus qu'un et qu'enfin je ne sois plus puceau.

C'est quoi, le contraire de «magique»?

Isabelle n'était pas forte sur le non-verbal. Elle prenait peut-être mon silence pour de l'émerveillement, ma grimace à peine masquée pour une invitation à me livrer encore plus de détails, mes bras croisés pour une incitation à prendre tout le temps qu'il lui fallait. Elle a parlé, parlé, j'ai essuyé un de ses postillons de sur mon t-shirt, j'ai compté dans ma tête jusqu'à mille, j'ai révisé les tables de multiplication, j'ai épelé des mots à l'endroit et à l'envers et puis, enfin, elle s'est tue.

Isabelle était pleine de joie de vivre, remplie d'énergie, amoureuse de la vie, des humains, des animaux, de la nature, elle était toujours aussi belle, elle ne m'intéressait plus du tout. Son enthousiasme n'avait rien de contagieux. L'entendre me parler d'elle avait éveillé chez moi le même enthousiasme que j'avais ressenti le Noël de mes douze ans en déballant par mégarde la robe de chambre en ratine de velours destinée à ma grand-mère. J'avais passé trop de temps à fantasmer sur une Isabelle fabriquée dans ma tête pour que la vraie soit à la hauteur.

L'heure de la fermeture approchait, je voyais bien qu'Isabelle battait des paupières en attendant quelque chose, peut-être une invitation à «prendre un verre» avec des guillemets, ce qui veut dire «fourrer sans préambule», mais, même si la nervosité que je ressentais en sa présence s'était évanouie et que j'aurais pu l'inviter sans bégayer, je ne l'ai pas fait. Je lui ai dit que c'était bien sympa qu'elle soit passée me voir et je l'ai regardée partir. Ce cul, tout de même. J'en ai voulu un peu à Isabelle. C'était sans doute à cause de ses phéromones incompatibles avec les miennes que je ne poserais jamais mes mains sur ce cul. Oui, bon, je ne connaissais pas plus les phéromones que les haïkus, c'était ça ou un autre truc biologique dans le même genre. D'une façon ou d'une autre, tout était de sa faute.

La session suivante, au cégep, pour éviter de la croiser, je prenais mon café dans une machine distributrice sale et bruyante dans un racoin louche d'une aile abandonnée. Pendant des mois, Isabelle avait été mon âme sœur, ma douce moitié, mon petit trésor d'amour adoré, mais elle ne l'a jamais su.

Stéphane Dompierre est écrivain, scénariste et chroniqueur. Il est l'auteur de six romans (*Un petit pas pour l'homme, Mal élevé, Stigmates et BBQ, Morlante, Corax* et *Tromper Martine*), de deux BD (*Jeunauteur,* deux tomes) et d'un recueil de chroniques (*Fâché noir*). Il a assuré la direction littéraire du recueil érotique *NU* et publie tous les mois le *Questionnaire Dompierre* dans le *Elle Québec*.

COMME LA FOIS OÙ J'AI BERNÉ MA MÈRE.

PAR PATRICK SENÉCAL

Pour m'man,
que j'ai exagérée, mais à peine.

— M'man, faut que je te raconte quelque chose que tu sais pas. Ça fait vingt ans de ça, je pense que je peux enfin te le dire.

J'ai relaté ce souvenir à ma mère il y a une dizaine d'années; j'avais trente-six ou trente-sept ans. Je me berçais dans le *rocking-chair* de la cuisine, celui dans lequel je m'installais si souvent lorsque j'habitais encore à Drummondville. Elle préparait alors le souper, je ne me rappelle plus ce dont il s'agissait, et quand j'ai lancé cette phrase, elle m'a reluqué d'un air soupçonneux.

— Inquiète-toi pas, rien de grave. J'imagine que tu te souviens du Nana ?

— Une nana ? Tu parles comme les Français de France, maintenant ?

— Non, Le Nana. Quand j'étais au secondaire, c'était la discothèque pour les 14-18 ans.

— Ah, oui. C'était une arcade, ça, non ? Y'avait du monde louche qui se tenait dans la place. Hé, que j'aimais pas ça quand t'allais là !

— C'était pas si pire.

— Y'avait du monde qui sniffait du pot !

— En tout cas... C'était une arcade la semaine, mais le samedi soir, ils ouvraient la salle en haut et transformaient ça en disco pour adolescents. J'y allais souvent avec mes chums: Mario, Ti-Cas, Sauce, Stéphane, Normand...

— Qu'est-ce qu'y devient, le beau Normand ? Il était tellement gentil, ce p'tit gars là...

— Il est en prison : il vendait de la drogue. Donc...

— Ben voyons, tu me niaises ?

— Non, pas du tout. Donc, un soir d'automne, à peu près un mois après mes seize ans, je t'annonce que je m'en vais à la disco du Nana et...

— Comment ça, de la drogue ? Il voulait être architecte, ça se peut pas !

— M'man, on parlera de Normand après, OK ?... Comme je venais d'avoir mon permis de conduire, je t'ai demandé si je pouvais y aller avec l'auto.

— Ah ! Quand t'as eu ton permis, tu voulais toujours prendre le char ! Tu l'aurais même pris pour aller te coucher, c'est pas mêlant ! Pis évidemment, ton père était tout le temps d'accord, il avait tellement pas d'autorité... D'ailleurs, qu'est-ce qu'il attend pour arriver, lui, coudonc ?

— T'étais surprise, parce que normalement j'y allais en vélo, mais je t'ai dit que je serais fier de donner un *lift* à Mario et à Stéphane...

— Hey, ces deux-là, c'était des moyens merleaux ! T'es sûr que c'est pas eux autres qui sont en prison ? Stéphane, il fumait la cigarette, faque...

— Je suis sûr, m'man. Donc, t'as accepté que je prenne l'auto, mais tu voulais que je revienne tout de suite après la discothèque, qui fermait à une heure. Mais en fait, ce que je t'ai pas dit, c'est que c'est pas au Nana que j'allais ce soir-là.

— Tu m'as menti ?

— Oui.

— T'as menti à ta mère ?

— Ben oui, m'man, c'est terrible. Une fois, je t'ai même dit que j'avais aimé le repas que t'avais fait et c'était pas vrai.

— Hé, que t'es drôle.

— Ça fait que je voulais pas aller au Nana ce soir-là.

— Tu voulais aller où ?

— Aux danseuses.

— Aux danseuses ? Les danseuses tout-nues ?

— Non, celles des Grands Ballets Canadiens.

— C'est pas à Montréal, ça ?

— Ben oui, m'man, les danseuses nues !

— T'avais seize ans !

— Oui, mais j'y étais déjà allé une couple de fois.

— Ils t'ont laissé entrer à seize ans ? Ils ont pas de morale, ce monde-là ! Ça t'a pas trop traumatisé, j'espère, la première fois ?

— Pas vraiment, non.

— Pourtant, t'avais jamais vu de femmes tout-nues.

— Ben là, m'man...

— Pas en vrai, en tout cas. Tu m'as dit que t'avais eu ta première relation sexuelle à la fin de tes seize ans, pas au début.

— Oui, bon...

— C'était pas mal vieux, non ?

— Ben... pas si pire...

— Mais c'est vrai que t'avais vu des filles tout-nues en masse dans les magazines. T'en avais tellement ! T'en souviens-tu, quand j'en avais trouvé un dans la malle à linge sale ?

— Ça fait que je voulais aller aux danseuses. Les deux fois d'avant, c'était au Bar Rock, au centre-ville...

— T'es allé au Bar Rock ! Y'avait des motards, là-bas !

— ... mais là, je voulais aller à l'autre bar de danseuses...

— Pis des gars de la construction, aussi !

— ... Le Cocotier, parce qu'il paraît que les filles étaient plus belles.

— Seize ans, pis déjà obsédé ! Le vrai portrait de ton père ! Qu'est-ce qu'il fait, lui, là ?

— Mais comme Le Cocotier était à l'autre bout de la ville, j'avais besoin de la voiture. Je t'ai donc fait croire que j'allais au Nana.

— C'est ça, ton histoire ? Une chance que tes romans sont meilleurs... Va me chercher le basilic dans l'armoire.

— Attends, c'est pas fini. Le problème, c'est que t'étais méfiante et...

— Comment, méfiante ! J'étais pas méfiante pantoute !

— M'man, même quand je revenais de la messe, tu me fouillais.

— Ben voyons ! Hé, que t'exagères !

— Comme t'étais méfiante, tu te disais que je voulais sûrement faire le tour de la ville avec mes chums...

— Ah ! Méfiante mais pas folle, ta mère, hein ?

— ... et là, tu m'as dit que t'allais noter le kilométrage de l'auto sur une feuille. Et comme Le Nana était à environ deux kilomètres de la maison, tu pourrais vérifier le lendemain si j'avais trop roulé.

— Ah, oui... Oui, oui, oui! Je me souviens de ça! Hey, j'étais vraiment pas folle!

« C'est ça, ton histoire ? Une chance que tes romans sont meilleurs... Va me chercher le basilic dans l'armoire. »

— J'avoue que ça m'a embêté pas mal, vu que Le Cocotier était plus loin. Mais je me suis dit...

— Voyons, Patrick, c'est de l'estragon, ça, pas du basilic! Quand on te demande un marteau, t'amènes-tu un tournevis ?

— Tu le sais que je suis nul en cuisine, m'man... Donc, ça m'embêtait, mais...

— C'est vrai. Pauvre Sophie.

— ... je me suis dit que...

— Tu lui prépares jamais rien à manger, à ta blonde ? Même pas une soupe ?

— ... que j'irais quand même et...

— Remarque, ton père est pas mieux... Coudonc, est-ce qu'il s'est perdu en chemin, lui ?

— M'man, écoute-moi donc !

— Ben oui, mais c'est long, ton affaire ! Tu peux ben écrire des briques de cinq cents pages !

— Je me suis dit que j'irais quand même au Cocotier et que je trouverais une solution en temps et lieu.

— C'est ben les jeunes, ça. La pensée magique, tout le temps. Ça étudie pas pis ça se demande pourquoi ça coule à l'école.

— Quand on est sortis du club de danseuses, à une heure moins quart, j'ai dit à mes chums que je serais dans le trouble demain parce que j'avais roulé un kilomètre de plus que la distance permise. On a réfléchi et on a eu une idée. Écoute ben ça...

— Ça fait une demi-heure que je t'écoute !

— On a décidé de revenir à reculons jusqu'au Nana.

— ...

— ...

— À pied ?

— Ben non, m'man, en auto !

— Arrête donc de rire de moi !

— Je te jure !

— Qui a eu cette idée de niaiseux là ?

— Heu… Stéphane, je pense. Mais c'est pas important…

— Ha ! Celui qui fumait des cigarettes, hein ? Ça me surprend pas ! T'es sûr que c'est pas lui qui est en prison ? Normand était ben trop un bon p'tit gars, il emballait les sacs au Steinberg !

— Ça fait qu'on a roulé à reculons ! C'était dans le quartier de Drummondville-Sud, c'est très résidentiel dans ce coin-là. On faisait nos stops, on conduisait du bon côté de la rue, mais à l'envers ! Stéphane me guidait pour l'arrière, Mario s'assurait que personne arrivait en avant, et moi, je tenais le volant, la tête virée. Me semble qu'on a croisé une ou deux autos. Les conducteurs nous ont klaxonnés, ils devaient penser qu'on était soûls !

— L'étiez-vous ?

— Criss, non ! Une bière, aux danseuses, ça coûtait les yeux de la tête ! À seize ans, on avait les moyens d'en prendre juste une et de la téter pendant deux heures…

— Hmmm…

— Écoute, on riait, t'as pas idée !

— C'est niaiseux, ton affaire. Un char qui recule, ça fait pas reculer le kilométrage.

— Imagine-toi donc que oui.

— Peuh ! Arrête de niaiser ta mère ! Ton père va te le dire que c'est n'importe quoi ! Hey, s'il arrive pas, lui, il va passer en dessous de la table !

— Chaque fois que je raconte cette histoire-là, c'est la partie que les gens croient pas !

— Tu l'as racontée à plein de monde ? Bravo !

— Je te jure que le kilométrage reculait.

— Tu connais la mécanique autant que la cuisine. T'as peut-être vu l'essence baisser pis tu pensais que c'était le kilométrage.

— Tu peux bien parler! Chaque fois que tu remplissais le lave-vitre de l'auto, on était pris pendant une semaine avec de l'huile qui giclait dans le pare-brise!

— Ben voyons! Hé, que t'exagères!

— J'ai une couple d'amis qui m'ont dit que c'était possible que le kilométrage recule avec certains vieux modèles.

— C'était quel char, ça, là?

— Notre vieux Nova rouge.

— Ah, mon Dieu! On est allés à Lake George avec, non? Ou à Laval, je me souviens plus. Pis faut croire que c'était un char fiable, parce que dans le temps, ton père arrivait à l'heure pour souper!

— Je pense que si un flic nous avait arrêtés, il aurait trouvé notre explication tellement originale qu'il nous aurait laissés repartir sans ticket.

— Pas sûre, moi, mon p'tit gars.

— Bref, on s'est remis à rouler dans le bon sens une fois rendus au centre-ville, parce que ça commençait à être dangereux. On était pas tout à fait revenus au Nana, mais je me suis dit qu'à deux ou trois cents mètres près, tu t'en rendrais pas compte.

— Amène-moi le lait, je vais piler les patates. Amène-moi pas le jus d'orange, là.

— Et j'ai eu raison parce que...

— Le jus d'orange... Est bonne!

— J'ai eu raison parce que...

— Est drôle, ta mère, hein ?

— Oui, très. J'ai eu raison parce que tu m'en as jamais reparlé. Tu t'es rendu compte de rien. Voilà. Je t'ai bien eue, hein ?

— ...

— ...

— En tout cas, si Normand est en prison, je suis sûre que c'est parce qu'il a quitté Drummondville à vingt ans. On sait ben, à Montréal, on s'enfarge dans les seringues pis les condoms usagés...

— T'es tellement orgueilleuse, m'man !

— Comment ça ?

— T'es même pas capable d'admettre qu'à l'époque, je t'ai passé un sapin !

Elle se tourne vers moi, essuie ses mains sur son tablier et esquisse un sourire que je connais, un sourire que je n'aime pas trop.

— Pauvre p'tit gars.

— Quoi, pauvre p'tit gars ?

— Tu penses vraiment que j'ai pris le temps de noter le kilométrage de l'auto avant que tu partes avec ?

— ...

— ...

— ...

— Tiens, v'là enfin ton père ! Tu lui raconteras ça, cette histoire-là. Lui aussi, il va trouver ça drôle de voir à quel point tu m'as bien eue.

Patrick Senécal est né en 1967 et a publié son premier roman, *5150, rue des Ormes*, en 1994. Depuis, il a écrit une quinzaine de bouquins qui traitent tous de la noirceur humaine et qui ont remporté un grand succès, dont *Aliss* (prix Boréal), *Le vide* (prix Saint-Pacôme) et *Hell.com*. Trois de ses romans sont devenus des films (*5150, rue des Ormes*, *Sur le seuil* et *Les sept jours du talion*) et d'autres sont en cours d'adaptation. Il a aussi écrit et coréalisé une série Web, *La reine rouge*, qui a été en nomination aux prix Gémeaux. Quelques projets parallèles lui ont permis d'explorer d'autres genres que le morbide, dont *Quinze minutes* dans la série *L'Orphéon*, sa nouvelle érotique dans le recueil *NU* et une BD, *Sale canal !*, avec Tristan Demers.

COMME LA FOIS OÙ J'AI VOULU ÊTRE UN SKINHEAD.

PAR RAPHAËL OUELLET

Il y a toujours eu en moi l'inverse de ce que l'on pourrait appeler le désir d'association. Je n'ai jamais souhaité me fondre dans la masse et je hais les sports d'équipe. C'est comme ça.

Rimouski, milieu des années 2000. La scène musicale hardcore de la région est particulièrement vivante et attire l'adolescent en quête de repères identitaires que je suis. À ce point de ma vie, je ne me sens absolument pas concerné par ce que la société a à me proposer, je n'aime pas les trucs à la mode, ni tout ce qui semble faire consensus chez mes semblables — encore aujourd'hui, la difficulté à communiquer et l'absence de repères identitaires sont des thèmes récurrents dans mon travail. C'est donc en réaction à cette uniformité que je me tourne vers la proposition la plus extrême disponible sur le marché rimouskois, vers la scène musicale la plus éloignée de la culture hip-hop qui semble régir les codes sociaux de mon école secondaire.

Je me joins à la scène hardcore.

Les allers-retours à Québec pour aller voir des spectacles de plus en plus violents se font de plus en plus fréquents. À ce moment-là, les idéaux politiques des scènes de gauche et de droite sont plus éloignés que jamais et il devient de plus en plus difficile de lutter contre les skinheads de droite. D'où l'escalade de violence.

Voici donc, en images, l'histoire d'un petit gars de Rimouski qui a tout essayé pour se faire accepter dans l'une des scènes musicales les plus violentes d'Amérique du nord; celle qui, contrairement à la perception de la plupart des gens, défend, parfois maladroitement, certains des idéaux les plus justes et nobles que le spectre politique puisse porter.

Si Raphaël était un fruit, il serait un ananas. Piquant à l'extérieur, mais doux et sucré à l'intérieur (quoiqu'un peu fibreux). Natif de Rimouski, il habite maintenant Montréal, où il réalise des films et compose des photos qui parlent de ses angoisses, des gens, de leurs valeurs et de leurs préoccupations, tout en essayant de comprendre ce qui les motive à rester sur terre. C'est donc dire qu'il travaille énormément et qu'il n'arrêtera sans doute jamais. Il a remporté plus d'une cinquantaine de prix un peu partout dans le monde, notamment auprès d'institutions aussi prestigieuses que Communication Arts, American Photography et PDN Photo Annual. Raphaël est très embarrassé par la phrase précédente, mais il considère que ça ne sert à rien de gagner des prix si ce n'est pas pour les inclure dans sa bio. Raphaël aime profondément les gens.

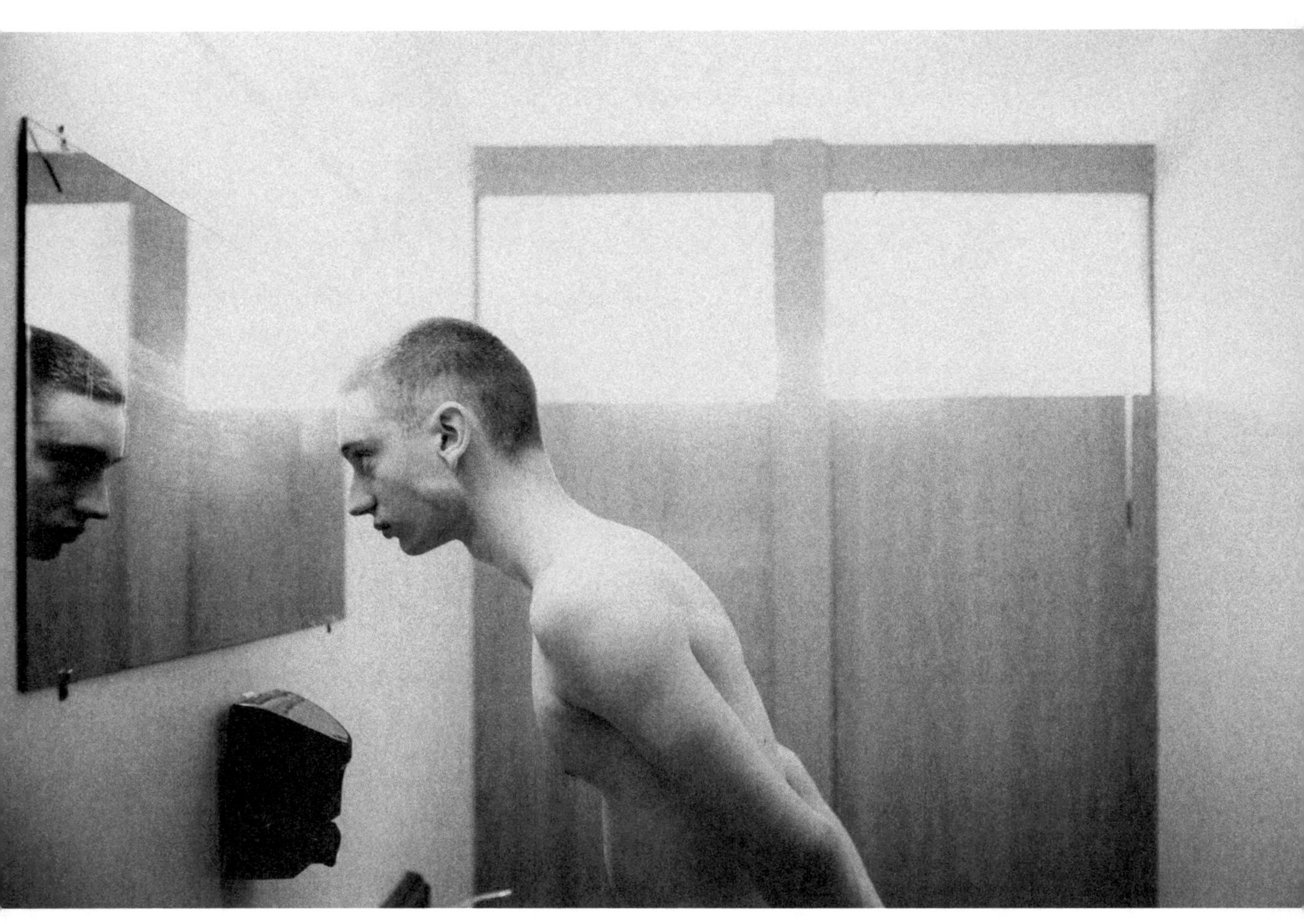

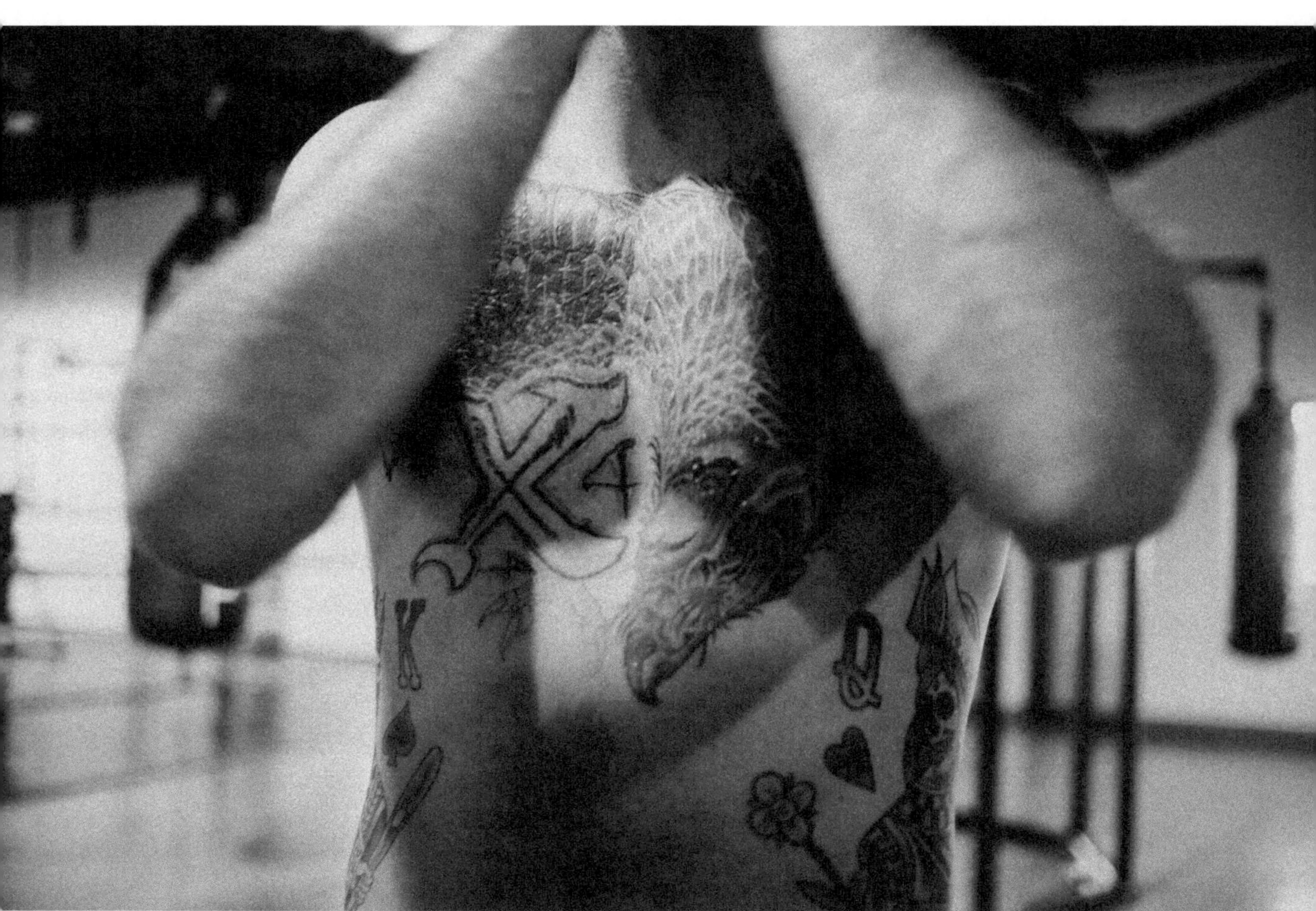

RIVAL

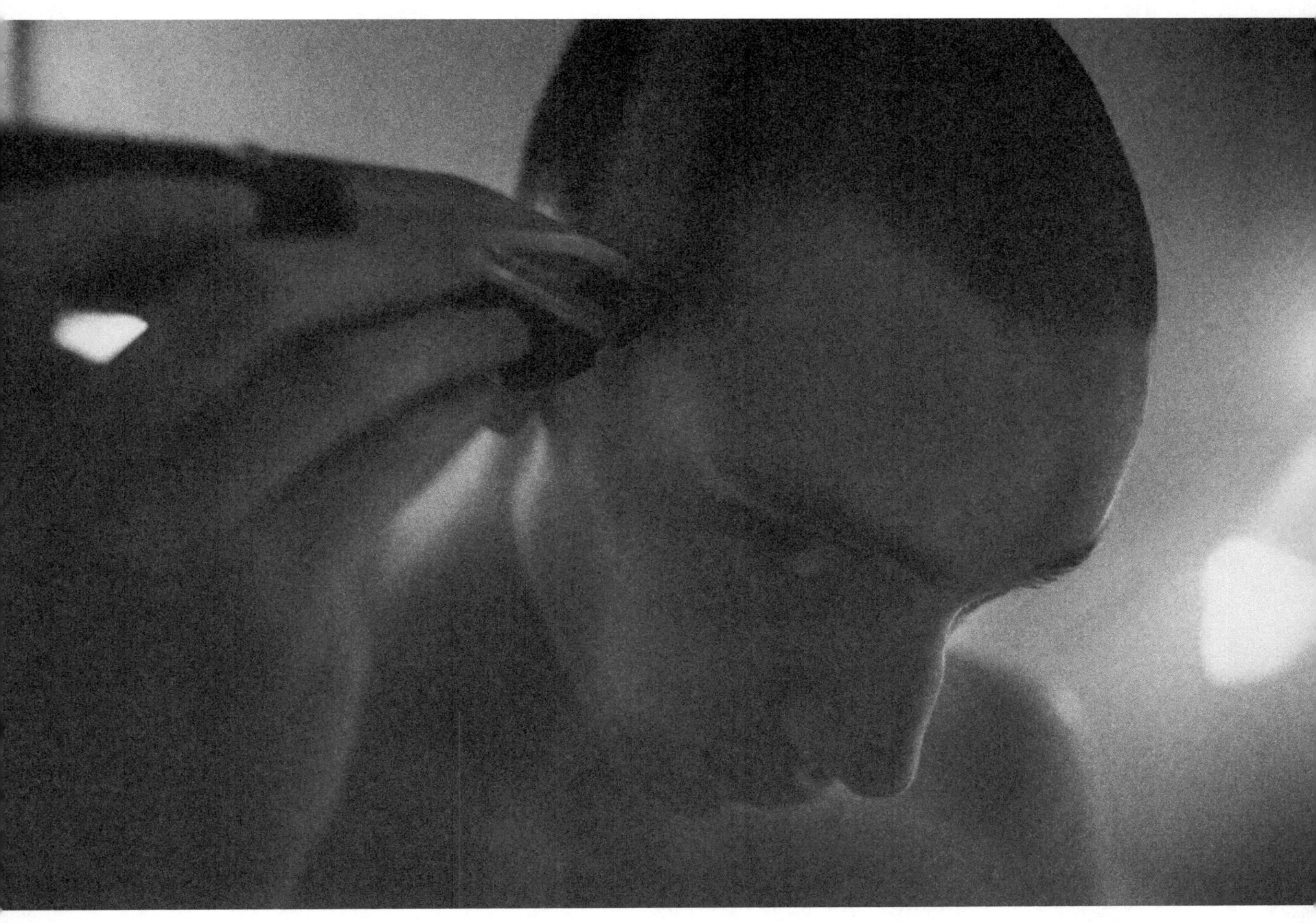

WASTED
YOUTH

COMME LA FOIS OÙ J'AI ÉTÉ DROGUÉ À MON INSU.

PAR JONATHAN ROBERGE

Enfant, je m'imaginais être une vedette de rock et multiplier les tournées. Voyager de ville en ville à bord d'un autocar de luxe et hurler des affaires comme « Merci Montréal ! », « À la prochaine, Québec ! » et « T'es ben *blood*, Saint-Ignace-de-Loyola ! » Je sautais en bas de mon lit avec ma raquette de tennis en guise de guitare électrique, je kickais dans le vide et m'imaginais un stade rempli de fans hurlant mes chansons. Ma mère me pétait le projet assez rapidement en tapant avec son talon sur le plancher du salon, qui agissait aussi comme plafond de ma chambre — nous avions le Gyproc polyvalent chez nous. Elle hurlait dans la cage d'escalier que le souper était prêt et que je devais débarrasser la table de mes vêtements tout frais pliés. La vie de rock star, quoi...

Les printemps ont filé beaucoup trop rapidement et je suis devenu un grand. Un grand qui ne sait pas jouer de la guitare, mais qui a quand même la chance de partir en tournée pour aller distribuer des fous rires aux quatre coins de la province. À défaut d'être un beau gosse de la musique entouré de groupies, je suis un dodu comique qui se fait payer des *shooters* par des gars qui m'appellent « le gros » en m'agrippant par la nuque dans des bars de région. Ils me racontent combien ils aiment mes blagues et j'enfile gratuitement l'eau-de-vie après les spectacles.

Nous étions donc en tournée, Marie Soleil Dion, Roxane Bourdages, Martin Vachon et moi, pour la pièce de théâtre *Ma première fois*. Ce spectacle est un ramassis d'histoires de touche-foufounes rocambolesques qui donnent le goût de vivre et de se chiper la face. Nous venions de terminer notre show devant un public déchaîné à la salle Albert-Rousseau de Québec et nous sommes passés directement des loges à la table que nous avions réservée dans un restaurant de la Grande Allée. Nous avons enfilé les bouteilles pour célébrer le succès de notre première médiatique à Québec; le stress s'évaporait en même temps que notre fierté qui se noyait dans les gorgées de mousseux. Bref, nous avons bu nos *per diem* ! La vie de tournée, la vie de *wanna be* rock star.

Le propriétaire de l'endroit nous gâtait, c'était la fête et j'avais la tête qui tournoyait funny. Nous avons même été invités dans la section bar de l'endroit pour nous envoyer quelques *shooters* dans le gosier. La musique de Kanye West faisait bouger les demoiselles, c'était *ladies night* et l'ambiance sentait le parfum cheap au coconut. J'étais loin de ma zone de confort qui se résume habituellement à une pinte de rousse, du Dany Placard et une petite brasserie de quartier, mais les gens étaient souriants et nous avions quand même du plaisir. Jusqu'à ce qu'Eddy arrive. Eddy, c'est le nom que je lui ai donné; c'est le méchant de mon histoire. Eddy le pas gentil. Eddy le gros boss de la fin dans un jeu Nintendo. Les origines ethniques d'Eddy n'étaient pas très claires. Il ressemblait à Eddy Murphy, mais en version pakistanaise. Tout vêtu d'un complet gris, il payait des bouteilles de Veuve Clicquot aux demoiselles rassemblées autour du bar, brandissant son argent pour attirer les barmans comme des chiens avec un biscuit. Le champagne qu'il commandait valait l'équivalent d'une hypothèque de centre d'achats. Pas de farces, les bouteilles avaient des *stickers* avec des lumières clignotantes!

Eddy (imaginez une musique intense à chaque fois que vous lisez son nom) me dévisageait comme un mâle alpha qui n'accepte pas qu'une autre paire de couilles s'aventure sur son territoire. Eddy (essayez la musique, pour vrai, ça ajoute au personnage) n'aimait pas que je parle avec une demoiselle au bar. Une demoiselle docteure avec qui je n'avais aucune intention de me retrouver tout nu. Demoiselle Médecin me jasait des heures de fous qu'elle faisait à son travail, et moi, je lui racontais des anecdotes cocasses en lien avec ma blonde et mon fils. Nous avions tout simplement du plaisir, sans arrière-pensée. Eddy n'aimait pas que Demoiselle Stéthoscope vive de l'allégresse avec Jonathan le p'tit gros comique. Eddy jaloux. Eddy pas content.

Pour nous démontrer sa supériorité financière — ce qui n'allait pas être trop compliqué, je vous rappelle que je jouais au théâtre —, le Pakistanais drôlement foncé a décidé de nous payer une bouteille de champagne à Demoiselle Jolie Docteure, mes compagnons et moi.

Là, c'est *le boutte super méga important*. Je n'en ai eu que des flashs le lendemain en discutant avec mes acolytes de brosse. C'est plusieurs heures de discussion et d'analyse qui me permettent de vous raconter ça aujourd'hui. Eddy veston gris s'est lui-même occupé de verser le champagne et de distribuer les flûtes. Quand il m'a tendu un verre, j'étais déjà dans un état d'ivresse assez avancé, du type: «*Man*, on va manger une poutine chez Ashton drette là.» J'aurais pu refuser le verre, mais au lieu de ça, j'en ai calé la moitié en une seule gorgée. Eddy s'est offusqué et m'a arraché la coupe des mains en me disant que celle-ci était pour Demoiselle *Plaster*. Il semblait vraiment tenir à ce que cette flûte soit posée devant elle et non devant moi. Ensuite, gros goût de métal dans ma bouche et black-out. Puis, plus rien. Des morceaux de casse-tête à assembler pour en faire une histoire.

Je me rappelle avoir salué mes amis en feignant un mal de tête pour qu'ils ne s'inquiètent pas. Les escaliers étaient l'équivalent de ceux de l'oratoire Saint-Joseph, mais version «double losange noir expert». Je me suis retenu à la rampe comme un gentleman ivrogne qui descend un escalier de façon burlesque dans une vieille comédie en noir et blanc. Ma tête picotait, mon tronc reposait sur une paire de jambes dont le contrôle m'avait été retiré.

Re-black-out.

Puis, j'ai quelques souvenirs, du genre: ne plus être capable de me relever une fois tombé par terre au coin d'une rue; appeler ma douce à trois heures du matin pour lui dire que j'ai passé la soirée à discuter avec une superbe médecin, MAIS que je ne l'ai pas trompée; moi, tout nu dans ma chambre d'hôtel qui texte mes partenaires de jeu pour qu'ils viennent m'aider à prendre une douche.

Re-black-out.

Je me rappelle alors avoir cherché le «code de douche», ce fameux «code de douche» que chaque douche possède. Pour ceux qui ne connaissent pas le «code de douche», c'est bien simple: quantité d'eau frette versus quantité d'eau chaude sur temps que ça prend avant que l'eau se rende à ta main. Des impondérables peuvent s'ajouter à l'équation, telle une robinetterie compliquée ressemblant à un manche de vaisseau spatial, des champlures inversées ou trop de cossins à gérer une fois gelé sur le GHB. J'ai tenté de relever du mieux que je pouvais ce défi de salle de bain en donnant des petits coups avec ma main pour toucher l'eau et prendre connaissance de ma recette eau chaude/eau frette.

D'après les calculs de tout le monde, je serais resté une bonne heure dans ladite douche de l'hôtel. Hôtel qui devait flipper de voir une seule chambre puiser toute l'eau de ses réservoirs. Nous avons regardé l'heure du premier texto : 3 h 54. Ça disait : « M'en va dans douche pour essayer de me sentir mieux. » Celui d'après, 5 h 03, concluait : « La douche n'a pas vraiment aidé. » Qu'est-ce que j'ai fait durant l'intervalle, vous vous demandez ? Facile, des affaires de gars drogués à leur insu comme chanter des grands succès français sous la pluie. *Dans le port d'Amsterdam* de Brel et *Les amants d'un jour* de Piaf résonnaient sur l'étage. À un point tel que Marie Soleil Dion est venue me voir, car elle m'entendait hurler.

C'est nu-graine avec ma *shape* de poire que je l'aurais accueillie dans la salle de bain. Ma porte de chambre grande ouverte permettait à ma voix de résonner dans les corridors de l'hôtel. Marie Soleil m'a fait remarquer que j'étais nu devant elle et c'est avec un coin de rideau de douche que je me serais nonchalamment caché le porteur génétique. Je lui aurais parlé de tout et de rien en tentant de rester debout.

« C'est nu-graine avec ma *shape* de poire que je l'aurais accueillie dans la salle de bain. »

Ensuite, je me suis réveillé dans mon lit et j'ai vu Martin Vachon dans le lit voisin. Lorsque je l'ai questionné sur ma soirée, il m'a rassuré en me disant qu'à tour de rôle ils avaient pris soin de moi, s'assurant que je dormais… et que je respirais ! Du bon monde. Personne n'a malheureusement profité de moi !

Durant le brunch, je tentais de me remémorer ce qui s'était passé. Je trouvais ça rock star et drôle jusqu'à ce que j'aie une pensée pour la

Demoiselle Docteure, celle à qui ce champagne était destiné. Mon anecdote cocasse venait de se transformer en énorme prise de conscience. Si une moitié de flûte pouvait me frapper comme une gauche de Mike Tyson dans ses belles années, je n'imagine pas ce qu'une dose complète pourrait faire à une fille comme elle. Mon récit de rock star défoncée dans une chambre d'hôtel ne me plaisait plus du tout. Dans les jours qui ont suivi, j'ai fait part de ma mésaventure à plein de gens autour de moi, qui avaient eux aussi des histoires à partager à propos de cette drogue. Des amies m'ont raconté ce que des gars avaient tenté de leur faire après avoir mis cette merde dans leur *drink*... Ma conjointe — mon amoureuse ! — m'a confié (un peu gênée) que, dans un bar montréalais quelques années avant notre rencontre, quelqu'un s'était essayé sur elle après lui avoir refilé un cocktail piégé. Par chance, sa coloc l'avait sauvée. Mais ma douce se sentait tout de même coupable de ne pas avoir été assez alerte. Voyons donc ! Comme si c'était sa faute !

Le GHB est une drogue infâme utilisée par des lâches; il est loin d'être homme, celui qui l'utilise à des fins perverses. Ils puent, ils me dégoûtent, ces « Eddy » qui volent des bouts de femmes avec quelques gouttes versées dans leur verre. Ils souillent des vies pour leur plaisir animal.

Depuis cette soirée-là, je suis sur mes gardes à chaque consommation qu'on m'offre. Je décline les *shooters* avec un sourire et je suis plus tranquille après les spectacles. J'aime mieux aller dans ma chambre pour lire un livre et boire un thé. Si le petit cul qui faisait des solos de raquette de tennis me voyait après les shows, il serait déçu, mais bon, chacun sa façon d'être une rock star.

Jonathan Roberge est un gars funny qui écrit, fait rire, joue, réalise et passe trop de temps sur Instagram. Lauréat de quatre Olivier pour ses séries Web *Contrat d'gars* et *FISTON*, en plus d'une foule de nominations à gauche et à droite qui lui servent à se vanter dans les 5 à 7 importants, il a récemment lancé son premier livre, *FISTON: le testament de conseils*.

COMME LA FOIS OÙ IL NE RESTAIT PLUS DE PARKING.

PAR RABII RAMMAL

Je détestais ma job. Mais je ne détestais pas les vingt dollars de l'heure que je gagnais à dix-huit ans.

Mes amis qui travaillaient dans des boutiques faisaient deux fois moins d'argent. Je trouvais bizarre que leur budget ne leur permette pas de flamber deux cents dollars en vêtements sans trop y réfléchir. Je trouvais bizarre qu'ils aient un budget, tout court.

Je travaillais pour une compagnie d'assurances. Au téléphone. En gros, il y avait sur notre site Internet un outil permettant de remplir une soumission d'assurance auto ou habitation en ligne.

Naturellement, on voulait que les gens utilisent cet outil. Parce que s'ils appelaient pour obtenir une soumission par téléphone, ils parlaient alors à un agent d'assurance: un employé formé par l'Autorité des marchés financiers dont chaque heure de travail coûte cher à l'entreprise.

Le client devait absolument parler à un agent pour souscrire à une police d'assurance, mais pour remplir une soumission, pas nécessaire de gaspiller le précieux temps d'un agent. De toute façon, celui-ci aurait lui-même utilisé l'outil de notre site.

C'est pas des fous, ceux qui gèrent les compagnies d'assurances. Un jour, quelqu'un s'est réveillé et s'est dit: « Pourquoi dilapider le temps d'un gars payé super cher pour un service que les clients pourraient s'offrir eux-mêmes grâce à un outil en ligne ? »

Quelqu'un trouva la suggestion pertinente, mais souleva également l'interrogation, tout aussi pertinente, suivante: « Mais qu'est-ce qu'on fait si les gens n'arrivent pas à remplir la soumission en ligne ? Ils vont appeler le gars qui coûte cher et tout sera à refaire. »

L'autre, esprit aiguisé qu'il était, lui servit la réponse finale suivante: « On n'a qu'à créer un service exprès pour ça. On paie des gens deux fois moins cher pour rester au téléphone avec le client pendant qu'il remplit la soumission en ligne. Si le prix l'intéresse, là on le transfère au gars qui coûte cher. »

Ainsi, un jour que je ne connais pas, d'un mois que j'ignore, d'une année qui m'échappe, fut créé le Service aux internautes de la compagnie que je ne nommerai pas.

J'avais prévu travailler là pendant un an. «Un an, après c'est fini. Le temps de trouver c'est quoi mon rêve.»

J'y suis resté cinq ans. Jusqu'à il y a deux ans.

Si tu as déjà travaillé en centre d'appels, je compatis. Si tu n'as jamais travaillé en centre d'appels, je t'envie. Et j'ajouterais le conseil suivant: ne le fais pas. N'accepte pas la job. Ça paie plus que le salaire minimum, mais il y a une raison à cela. Dans une boutique, tu vois des gens, tu touches des choses, tu échanges des sourires.

Dans un centre d'appels, pendant que tu travailles, tu vois trois choses: la cloison droite de ton cubicule, la cloison gauche de ton cubicule et la cloison du fond de ton cubicule, celle qui tient en place les cloisons droite et gauche précédemment mentionnées.

Tu enchaînes les appels qui t'enchaînent à ton poste. Appel après appel. Toujours les mêmes situations, toujours les mêmes bogues.

Naturellement, toujours les mêmes solutions. À cause de ça, il n'est pas rare qu'à la fin d'un appel, tu ne te souviennes plus de ce qui vient de se passer: tu ne te souviens plus du nom du client, du problème qu'il a rencontré en ligne, tu ne te souviens même plus s'il s'agissait d'un homme ou d'une femme.

Même si c'était il y a quelques secondes à peine. Tu es légume.

Les appels entrent automatiquement dans l'ordinateur, les réponses sortent automatiquement de ta bouche.

Pendant ton quart, tu n'es plus un humain, tu es un robot. Tu fais ce travail parce qu'ils n'ont pas encore mis au point un vrai robot qui puisse user de discernement ou de jugement les 5 % du temps où tu en as besoin.

Les pauses, toujours à la même heure. J'ai déjà songé à commencer à fumer, juste pour avoir plus de temps de pause.

Pause repas et pause pipi à environ une heure trente d'intervalle; le temps qui s'écoule normalement entre l'ingestion d'un liquide et le moment où se pointe l'envie de pipi.

Même ma vessie suivait un horaire défini. Synchronisée avec l'horaire du centre d'appels.

Et l'envie de caca? Impossible. Personne ne veut avoir un *away from phone* de vingt minutes sur son rapport hebdomadaire.

Si tu ne parles pas anglais, *away from phone* veut dire «loin du téléphone». Pour ceux qui parlent anglais: *yes, it takes me twenty minutes to shit*.

«Et l'envie de caca? Impossible. Personne ne veut avoir un *away from phone* de vingt minutes sur son rapport hebdomadaire.»

Je n'étais pas heureux, mais je vivais avec. Je pensais encore qu'être un adulte, c'est passer sa vie à attendre de quitter des endroits où l'on n'a pas envie d'être.

Je ne savais pas qu'on pouvait être heureux au travail. Je pensais encore qu'on travaillait pour la fin de semaine. Que le travail était un fardeau à supporter pour se payer les loisirs, les évasions et l'alcool qui nous font oublier — le temps qu'ils peuvent — à quel point on est misérable quarante heures par semaine.

Le tiers de notre vie, du lundi au vendredi.

Je n'étais pas heureux. Pas complètement heureux. Mais je ne me doutais pas que j'étais complètement malheureux.

Jusqu'à ce qu'il m'arrive la chose qui suit.

Pour me rendre au bureau, j'empruntais l'autoroute 40. Je me rendais donc au travail ce jour-là et ça ne me tentait pas du tout.

J'arrive à ma sortie. Il n'y a personne derrière moi, personne devant moi, personne sur les côtés. Pendant une seconde, une seconde seulement — juré —, le raisonnement suivant me traverse l'esprit: «Si je donnais un léger coup de volant vers la gauche, que je frôlais du devant de ma voiture le morceau de béton délimitant la sortie de l'autoroute, je ne causerais pas d'accident. Avec un peu de chance, même, je n'endommagerais pas les parties clés du véhicule. Je n'endommagerais pas les phares ni la roue, seulement le pare-chocs en plastique et, si j'étais malchanceux, l'aile faite de tôle. Les assurances paieraient, mais pas trop. Je me ferais peut-être mal, mais pas trop, MAIS j'aurais une excuse béton pour manquer la job aujourd'hui.»

Je ne suis pas con. Oui, je suis con, assez con pour y penser, mais pas assez con pour le faire. Juste le fait d'y avoir pensé, ne serait-ce qu'une seconde, a été suffisant pour me faire réaliser que je n'étais pas seulement «pas complètement heureux», j'étais complètement malheureux.

Je voulais partir. Je devais partir. Je ne voulais pas de tout ce que j'ai aujourd'hui: je ne rêvais pas de donner des spectacles, de faire de la télé ou d'écrire dans le journal. Je voulais juste arrêter d'être complètement malheureux.

Une semaine plus tard, la Ville changeait la signalisation dans le quartier où je travaillais. Ayant récemment déménagé du centre-ville, inconsciemment, je crois que la seule chose qui me gardait là était le stationnement gratuit. Mais c'était soudainement devenu le festival de la vignette. Plus aucune possibilité de laisser son char dans la rue.

En dernier recours, une compagnie proposait une place de stationnement à treize dollars par jour. Plus cher faire garder ton char que ton enfant.

Je n'allais pas me laisser avoir: chaque jour, j'arrivais quinze minutes à l'avance pour pouvoir chercher, pour pouvoir tourner en rond, pour ne pas avoir à payer, à céder la seule chose qui me retenait de claquer la porte.

Pendant un mois, j'ai réussi à m'arranger pour trouver une place dans la rue. Un matin de mai, rien. Dix minutes, rien. Vingt, rien. Trente, *fuck off*.

Je me stationne devant une école, quatre *flashers*, j'appelle mon patron, Éric, un gars tout ce qu'il y a de plus sympathique:

— Éric, je rentre pas.

— Comment ça, tu rentres pas ?

— Y'a pas de parking. Y'a jamais d'hostie de parking.

— Ça va, Rabii ?

— Non, j'viens d'te dire qu'y a jamais de parking.

— Tu rentres pas, genre tu rentres pas aujourd'hui ?

— Non Éric: j'rentre pas, genre, j'rentre plus jamais...

— ... Rabii ?

Fin de l'appel.

Je ne suis plus jamais rentré.

Depuis ce jour, je n'ai plus jamais sacré au centre-ville en faisant le tour des rues pendant trente minutes pour trouver une place. Je suis calme; ça prendra le temps que ça prendra.

Depuis ce jour, je n'ai plus jamais été complètement malheureux.

Une chose que je regrette, une seule: que ça ait pris cinq ans avant qu'il ne reste plus de parking.

Rabii est un jeune humoriste multidisciplinaire: comique de scène, personnalité télé (Radio-Canada), auteur (*La Presse*), artiste visuel et patenteux amateur. Il développe présentement des projets pour la télé et le cinéma.

COMME LA FOIS OÙ J'AI UN PEU JOUÉ DANS UNE MÉGAPRODUCTION HOLLYWOODIENNE.

PAR EMMANUEL BILODEAU

Depuis l'âge de douze ans, je rêve de jouer dans un gros film américain, d'être magnifié par la caméra d'un grand réalisateur, devant un décor majestueux et mille cinq cents figurants dans le lointain, sans jamais croire une seconde que c'était possible.

Malgré ce fantasme, je n'ai pas une immense culture cinématographique. Hormis quelques vedettes, je ne connais pas les réalisateurs américains par leur nom. Sauf un.

Alejandro González Iñárritu.

Cet esti-là — pardon, ce grand esprit-là — m'a fait pleurer toutes les larmes de mon corps avec son merveilleux *Biutiful*. Et j'ai littéralement capoté sur *Babel*, *Amores Perros* et *Birdman*. Ces films ont tous ce je-ne-sais-quoi de singulier, de fantaisiste, d'humain et de philosophique qui me bouleverse. L'intelligence supérieure de ce réalisateur transcende chaque plan de chacun de ses films.

Toujours est-il qu'un matin, je me lève dans mon petit quotidien de papa. Je suis à quelques jours de vivre le plus grand stress de ma carrière: ma naissance officielle en tant qu'humoriste. Je m'apprête à affronter le jet-set montréalais et les critiques avec mon premier spectacle solo à vie: le *One Manu Show*.

J'ai cinquante ans. Je suis en pleine forme, mais sur le gros nerf, en gars anxieux que je suis. Tout de même, je suis 100 % «focus» sur ce défi qui occupe tout mon espace mental depuis un an et demi.

Alors quand Sonia, l'assistante de mon agent, me propose d'auditionner pour *The Revenant*, une mégaproduction hollywoodienne mettant en vedette Leonardo DiCaprio, ça ne m'énerve pas comme ça devrait. Je n'ai ni le temps d'y croire, ni même d'y penser: mon cerveau est déjà saturé.

DiCaprio, ma fille en est follement amoureuse. Moi, moins.

Puis, Sonia précise que le réalisateur de ce projet est nul autre qu'Iñárritu et mon cœur manque un battement. Elle m'annonce du même souffle que l'audition a lieu le matin de ma première et que, le scénario étant top-secret, je ne pourrai rien lire d'avance. Aucune préparation. C'est parfait, pas le temps de toute façon.

Ce matin-là, dans une ixième entrevue télé pour mon one-man-show, je mentionne cette audition en rigolant, feignant la légèreté. J'arrive au lieu de convocation à vélo, un peu essoufflé, la broue dans le toupet. Je n'ai jamais été aussi détendu pour une audition, me fais-je accroire. Je sais que je n'ai aucune chance, que des francophones du monde entier auditionnent... Peu importe: tout ce qui compte, c'est que ma première a lieu le soir même au centre-ville de Montréal, Québec, Canada, Terre.

Voie lactée.

Univers.

On me remet une longue scène de six pages, en anglais, qui n'est pas le texte de mon personnage puisque celui-ci n'est pas encore écrit. Fou rire intérieur. Comble de l'absurde, je dois traduire la scène en français, dans mes mots. Ça devrait aller: mes deux parents étaient traducteurs.

Devant la caméra, on me demande de me présenter, puis de livrer un témoignage personnel sur les épreuves souffrantes qui ont jalonné mon existence. Je crois rêver. Riant dans ma barbe, je joue le jeu, brode autour de la mort de mes parents et de celle de ma sœur aînée. Je parle de mes onze frères et sœurs qui m'ont fait tant de peine en cachant le 45 tours de *Gaston le téléfon* quand j'avais six ans... Rien d'original à dire. Pas envie de me livrer à des inconnus. J'aimerais simplement jouer la scène.

Le comédien qui me donne la réplique semble croire davantage en mes chances que moi-même. Il insiste pour refaire la scène plusieurs fois et son enthousiasme finit par me stimuler.

Les auditions n'ont jamais été mon fort, mais je sors de celle-là amusé et léger. J'oublie tout ça illico; j'ai d'autres chats à fouetter. Particulièrement ce soir.

Deux semaines plus tard, surprise totale: parmi des milliers d'acteurs, le meilleur réalisateur de la planète cinéma m'a choisi, moi! TABAR... nouche! Je suis *hot*! C'est confirmé! Moi qui n'ai pas tourné de film depuis cinq ans, qui croyais être un acteur semi-fini, probablement trop singulier pour le cinéma québécois, voilà qu'Iñárritu me reconnaît, m'aime, me donne le sceau d'approbation dont mon ego avait tant besoin.

Je vole, plus excité que je ne l'aurais cru. Ma fille l'est encore davantage!

Les négociations s'engagent avec mon agent, mais rapidement, ça achoppe: mes shows entrent en conflit avec leurs dates pressenties de tournage. C'est une production complexe, les dates changent sans arrêt et tous les autres acteurs sont disponibles à 100 % pendant six mois. On m'annonce que je n'ai plus vraiment le rôle.

Ils organisent donc une deuxième série d'auditions où, faisant fi de l'avis de ses producteurs, Iñárritu me choisit de nouveau! Mais le calendrier de tournage a été confirmé entre-temps et mon show de L'Assomption est dans les pattes. Mon agence au complet est sur mon cas à jongler avec les dates.

Je joue à Gatineau ce soir-là. Après le spectacle, je suis dans un petit resto avec mes techniciens quand mon agent m'appelle: ça va fonctionner pour les dates, ils prennent le risque! Ils me veulent à Calgary dans quatre jours pour une répétition et des essayages. Et pendant qu'on parle, j'ai déjà un appel d'une costumière qui veut mes mensurations sur l'autre ligne. Ça va trop vite!

Autant d'agitation et je n'ai toujours pas lu le scénario. Ai-je des scènes intéressantes? Aucune idée. Mais je me doute que c'est un petit rôle. J'apprends par la costumière que pour ma seule scène avec DiCaprio... je serai mort dans la neige! Ha, ha, ha! Pendant ce temps, je dois annuler mon show de L'Assomption à mes frais.

Les jours suivants sont un véritable maelström. Je fais des courses à relais entre mes engagements et ma famille. Je trouve même le moyen de participer à un spectacle-bénéfice, d'aller tourner à Ottawa pour un autre projet, de me casser une dent en mangeant du mou et de faire réparer celle-ci d'urgence. Un gars occupé, tsé.

Emmanuel Bilodeau

« J'apprends par la costumière que pour ma seule scène avec DiCaprio… je serai mort dans la neige ! »

Le jour J, 5 h du matin : limo et chauffeur privé m'attendent. On dirait bien que les Américains ne veulent pas que je manque mon avion.

Dès mon arrivée à Calgary, on me conduit sur le plateau. Magnifique. Perdu au milieu de nulle part, dans un champ au pied des Rocheuses, un immense village de tentes-roulottes m'accueille. J'y suis. Je suis sur le plateau de tournage le plus convoité au monde ! Émotion.

Mais je déchante vite : les gens de l'équipe technique sont stressés, fatigués, peu respectueux.

Heureusement qu'il y a mes partenaires francophones : Vincent Leclerc, un Québécois, et Fabrice, un grand Français maigre, distrait et drolatique. Nous formons rapidement un inséparable trio.

On nous maquille pendant deux heures, sans délicatesse, comme des mineurs du charbon, puis nous devons attendre qu'Iñárritu daigne approuver la chose. Sinon, personne ne nous dit rien.

Au moins, dans l'intervalle, je réussis à rencontrer le vieil Amérindien qui doit m'aider avec le langage arikara, que je devrai parler puisque je joue un interprète. Encore une fois, je déchante : mon coach est expéditif, confus et sa langue est tellement compliquée que j'ai envie de pleurer. La scène est très longue et c'est moi qui dois l'écrire ! En français, puis en arikara... Je n'arrive même pas à articuler les mots. J'aurais besoin de trois mois ; on me donne une semaine.

Des heures d'angoisse plus tard, une limousine nous escorte jusqu'à une guérite où un préposé confisque nos téléphones, les envoyant rejoindre ceux des deux cents techniciens. Puis, on nous fait monter sur des quatre-roues qui nous emmènent au fond du bois, près d'une rivière majestueuse.

Deux cents techniciens dans la forêt, immobiles et muets.

Debout, en mocassins et vêtements légers, on attend dans ce silence assourdissant. Entre les branches, j'entrevois DiCaprio, barbu, sale, fatigué. Je finis par le croiser dans un sentier boueux. Je le salue. On échange des politesses. Je suis intimidé comme une collégienne. Maladroitement, je lui dis que ma fille est amoureuse de lui, lui vomis des banalités trop rapidement dans un anglais approximatif. Je me sens stupide, mais il rit un peu, avant de repartir avec son entourage : un garde du corps, un attaché de presse, un maquilleur et deux zoufs, piétinant la bouette avec leurs Prada.

Le soleil est couché lorsqu'on est finalement convoqués devant le maître.

Celui-ci approche, avec sa tignasse noire, sa superbe, son charisme et son autorité naturelle. Il nous regarde avec une froideur toute professionnelle. Tâte un chapeau ici, une botte là. Rien ne lui échappe. Je me sens transpercé par son regard. Sévère, austère, magnétique ; c'est exactement ainsi que je l'imaginais. Brillant, concentré, aucun mot inutile... Mais il faudra revenir demain, car il fait trop noir pour bien juger de nos maquillages ! Nous nous tapons deux heures de route pour rentrer à notre hôtel, épuisés, humiliés, mais tout de même excités.

Le lendemain, jour d'essayages dans un entrepôt de campagne avec des costumières oscarisées, très professionnelles, gentilles et drôles. Reste que mes vêtements sont un peu loufoques. J'ai l'air de jouer un trappeur sale et dépressif dans *Destination Nor'Ouest*.

On nous ramène sur le plateau pour une prise deux du scénario de la veille: maquillage interminable avec dents jaunies, journée complète à attendre le réalisateur. Je passe le temps en essayant d'apprendre mon texte et en discutant avec d'autres acteurs qui tournent dans ce film depuis des semaines. Ils sont épuisés, désillusionnés. Paraît que le maître n'est pas facile à suivre, très exigeant, jamais content; qu'il enlève sans raison des répliques à l'un pour les donner à l'autre, que c'est souvent humiliant. Je me dis: « Quel créateur ! »

Puis, à la nuit tombée, la tension monte dans l'équipe coiffure-costumes-maquillage: le pape Iñárritu va nous recevoir. On se met en rang comme du bétail, comme des soldats à l'inspection. Vincent, Fabrice et moi, on ne se sent pas bien. On se sent sales. Et on l'est.

Le grand cinéaste, la légende vivante nous scrute à nouveau sans un mot. Il évalue, n'aime pas certains détails, demande des changements dans un anglais fortement teinté d'un accent mexicain. Aucun sourire. Puis il s'arrête à moi. Il me prévient de me préparer, que ce sera difficile, que mon texte est compliqué, avant de me demander de lui en faire un bout, comme ça, à froid, pour voir. *Shit*. J'ai froid, je suis fatigué; je bafouille quelques mots d'arikara. Me revoilà en audition. Si ce qu'il entend ne lui plaît pas, mon aventure s'arrêtera là.

Vincent se porte à mon secours, disant avec assurance et dans un anglais impeccable qu'il vaudrait mieux faire ça une autre fois, dans un meilleur contexte. Kamikaze, j'insiste pour le faire. J'aime mieux que tombe tout de suite le jugement de Sa Sainteté.

Je prononce une phrase, vais trop vite, mange mes mots; je veux pleurer. Mais, contre toute attente, Iñárritu semble rassuré. « *OK. OK. I can feel that you will do the job. Well, good luck, gentlemen.* »

Avant qu'il ne parte, je lui mentionne que ce texte est impossible à apprendre. Il le sait déjà: DiCaprio lui-même n'y arrive pas toujours très bien. Il porte parfois une oreillette quand il doit parler amérindien. On m'en promet une aussi.

De retour à Montréal, je reçois un appel m'annonçant qu'ils annulent toute la semaine de tournage à cause de pluies diluviennes à Squamish. J'ai annulé mon show à L'Assomption pour rien! Je veux tuer. Sans compter que je n'ai toujours pas signé de contrat pour ce foutu film! Je suis pris d'une réelle envie de débarquer de ce projet.

Puis, un autre appel: possible qu'on tourne, finalement. J'en ai marre de tous ces allers-retours, de cette aventure qui chamboule toute ma vie, pour quoi? Pour une scène de nuit où j'aurai la face noire et les dents jaunes, où personne ne comprendra un traître mot de ce que je dis? Nous sommes à la fin octobre et je me voyais passer l'Halloween relax avec mes enfants.

Je tente de retrouver ma motivation, j'y arrive assez bien... puis tout s'effondre de nouveau: ils veulent tourner le jour de mon spectacle à Québec. Ils menacent de me flusher, mais je m'en fiche: je tiens mon boutte. Ils me rendent fou. Je ne veux plus y aller.

La rumeur court que la production a tellement peur qu'Iñárritu pète sa coche s'ils me perdent qu'ils essaieront de tourner à un autre moment, avec moi. Mais je n'ai aucune confirmation.

Ce n'est qu'une semaine plus tard, après mon spectacle à Québec, qu'un courriel entre: ils m'attendent à Vancouver le lendemain soir. Le contrat se négocie en vitesse. Je suis payé des pinottes, mais ça remboursera au moins l'annulation de L'Assomption. Et le contrat stipule que j'aurai une oreillette et un *dialect coach* pour me souffler les répliques arikara si nécessaire.

Je prépare des bagages légers, car je dois rentrer directement après le tournage pour un show à Saint-Hyacinthe.

Après tous ces revirements, je suis finalement en route vers le tournage. Encore une fois, la limo américaine, l'avion, Toronto, Vancouver, Squamish... Est-ce l'excitation, l'anticipation ? Je suis en feu et inspiré. Pendant mon escale, j'écris un numéro en anglais pour le Festival Juste pour rire.

Dès mon arrivée, j'ai une répétition avec le Français et l'Amérindien devant le maître. Je serai brûlé pour le lendemain. Et en décalage horaire. Pas le choix.

Longue discussion et lecture avec Iñárritu. Tout ce qu'il dit est pertinent. Comme lorsqu'il nous recommande de travailler toute la nuit, puisque le texte n'est pas béton. Il dit ça en fixant l'Amérindien, qui a l'air si sûr de lui, qui ne sait pas encore à quel point Iñárritu va le détester.

À 4 h 30 du matin, entassés dans une minifourgonnette, c'est parti pour une heure et demie de route cahoteuse.

À 6 h, nous nous trouvons dans une forêt plutôt magique, avec ses immenses arbres. Les figurants, les chevaux, les Amérindiens et les trappeurs sont déjà en place. Des peaux d'animaux jonchent le sol.

À 8 h, il arrive. Iñárritu. On commence les répétitions du plan-séquence avec son directeur photo, oscarisé lui aussi.

C'est le moment qu'on choisit pour m'apprendre qu'il n'y aura pas d'oreillette. Panique intérieure. Consternation.

Heureusement, grâce à ma prévoyante de blonde qui me l'a fait répéter toute la semaine, je connais bien mon texte. Six pages de mots bizarres. C'est du chinois, mais je suis en feu.

Les répétitions commencent, mais rapidement, le Français perd ses mots, sa concentration, trop impressionné, mal préparé à autant de stress.

D'autant plus qu'il ne comprend pas les indications en anglais du réalisateur. C'est moi qui traduis. L'Amérindien, quant à lui, est fade et il rajoute inutilement du texte que je ne peux, bien sûr, pas traduire.

Iñárritu est consterné. Il reprend ce plan sans arrêt, pendant des heures, chaque fois déçu. Ça ne fonctionne pas. Il maugrée, lâche un *F word* par-ci par-là. Malgré tout, il persiste dans son perfectionnisme, rajoutant des complications à chaque nouvelle prise. Je le trouve grandiose. Et il a l'air de m'aimer.

À 15 h, il ne reste qu'une heure de soleil et nous n'avons toujours rien filmé. Jamais une production québécoise ne pourrait se permettre cela. La tension monte. Hormis le feu de camp, il n'y a aucune lumière artificielle sur ce plateau: il faut tourner et vite. Mais Iñárritu s'obstine. Mécontent, il donne une leçon de jeu à l'acteur qui incarne le chef, devant tout le monde. C'est humiliant. Il lui ordonne de lui livrer son texte à deux pouces du visage. L'Amérindien s'exécute. Sans conviction. Encore. Puis une autre fois. La tension est à son comble. L'acteur a un long monologue à livrer, mais n'y arrive pas.

Sans doute pour aller chercher le peu d'émotion disponible, Iñárritu se résigne à le filmer en très gros plan.

Et pendant ce temps, je suis seul à tout comprendre: français, anglais et arikara. Forcément, je deviens l'interprète du plateau. En pleine possession de mon texte et de la situation tendue, vivant une certaine complicité avec le réalisateur le plus *hot* de la planète, je sens que les choses vont assez bien pour moi.

Je commence quand même à stresser. Les heures passent et la scène n'est pas tournée. Est-ce qu'on devra refaire tout ça demain? Et donc annuler mon spectacle de Saint-Hyacinthe à mes frais? Non! J'ai donné rendez-vous à cinq cents personnes! Je veux rentrer!

Une bonne prise à 15 h 45. Alléluia. Puis une autre prise potable. Je reprends espoir.

Mais à 17 h, il fait noir et on tourne toujours. Le feu de camp semble leur donner suffisamment de lumière... Misère. On va y passer la nuit.

Vers 18 h 30, je rappelle timidement au premier assistant que j'ai un avion à prendre. Il ne le savait pas ! J'hallucine ! C'est à mon contrat. On m'avait pourtant juré de me libérer à 17 h max.

Iñárritu, témoin de la discussion, fait preuve d'empathie. Grâce à lui, je réussis à partir à temps dans une grosse limousine pour moi tout seul.

Le chauffeur est calme et expérimenté. Il me dit qu'on a une certaine marge de manœuvre, de me détendre. Ce que je fais. Mais une heure plus tard, c'est la crevaison. *Sérieux ?* Il est énervé et je vais moi-même mourir de stress. On est au milieu de nulle part et OnStar ne comprend rien. Je me croirais dans *Le Sketch Show*. Le téléphone de mon compagnon d'infortune est mort, le mien est faible : j'appelle un taxi sans y croire.

Par miracle, le chauffeur de taxi vietnamien nous trouve et j'abandonne M. Limo à son triste sort.

Les semaines passent, puis un appel me fait trembler : Iñárritu a beaucoup apprécié ma performance et voudrait me donner plus de place dans son film. Je crois rêver ! Mon espoir secret, dans toute cette aventure, c'était justement qu'il se souvienne de moi comme acteur. Même juste un peu.

Tout à coup, on veut connaître mes disponibilités pour janvier, février et mars. Je capote ! Je vis le rêve américain. Le producteur de L.A. a même contacté des gens du milieu, à Montréal, pour savoir qui est ce foutu Emmanuel Bilodeau et son *fucking One Manu Show* qui l'empêche d'avoir les coudées franches avec son horaire. Ce petit Québécois de Bilodeau, avec son tout petit rôle, est l'acteur le moins disponible de tout le tournage. Avoir su, ils ne l'auraient jamais engagé, qu'ils disent !

Durant le mois qui suit, ça jongle avec mon horaire à qui mieux mieux. Les Américains sont de plus en plus découragés et songent de nouveau à me flusher. Je finis par apprendre, par Vincent, qu'ils envisagent de tourner mes scènes sans moi. Pas assez dispo. Le peu d'espoir qu'il me restait fond comme un popsicle au micro-ondes.

Quelques semaines plus tard, je fais mon show à Amos. C'est le premier d'une série de sept spectacles en sept soirs en Abitibi. Je me couche à 23 h et, au réveil, un déferlement de courriels m'attend : « La production te veut *NOW* pendant huit jours. Viens, mais on ne paie pas de dédommagement. » Je refuse et pars pour Ville-Marie. Je n'ai pas les moyens de payer neuf mille dollars de ma poche pour le plaisir de tenir un petit rôle dans une production où l'argent coule à flots. Or, tandis que je roule, mon agent m'appelle : « Ils insistent, à Hollywood. Ils paieront les neuf mille dollars. Fais tes valises. »

Le plan : je quitte pour Timmins, Ontario, pour voler vers Toronto, puis Calgary cette nuit, retour à l'aéroport de Rouyn vendredi pour jouer à La Sarre et je refais les shows annulés la semaine suivante. Je jubile !

Je suis en route vers Timmins, vers ce plan de malade, lorsque mon agent m'assène le coup de grâce : tout est annulé. Iñárritu a dit aux producteurs qu'il était trop tard. La scène est commencée depuis ce matin.

Fin de l'histoire de fous.

Cette conclusion abrupte me laisse triste et confus. Surtout, je me sens stupide d'avoir donné autant d'importance à ce projet qui m'a glissé entre les doigts. Ce n'était pas un grand défi comme acteur ; c'était le rêve d'être reconnu professionnellement ailleurs. Une affaire d'ego. Et quand on met l'ego à l'avant-plan, ça finit toujours mal.

J'ai joué une scène dans ce mégafilm, un plan-séquence dans lequel on m'apercevra à peine. Mais ma vie a été chamboulée pendant six mois.

Ça m'apprendra à vouloir devenir un acteur américain.

Depuis sa sortie de l'École nationale de théâtre, en 1992, Emmanuel cumule les rôles au cinéma, à la télévision et au théâtre. Au cours de sa carrière, il a reçu plusieurs prix et nominations, dont le Gémeaux du meilleur premier rôle masculin pour la série historique *René Lévesque*, le prix Jutra du meilleur acteur de soutien pour *Un crabe dans la tête*, ainsi que le Léopard de la meilleure interprétation masculine au Festival international de Locarno pour *Curling*. Après avoir remporté le prix du meilleur numéro au Festival Juste pour rire en 2011, Emmanuel Bilodeau s'est tourné vers l'humour. Il a mis en scène le *Gala chialage* pour le Festival Juste pour rire 2013, pour ensuite se consacrer à son premier one-man-show, intitulé *One Manu Show*. En plus de représenter la réalisation d'un grand rêve, ce spectacle lui a donné l'occasion de partir en tournée à travers tout le Québec jusqu'en 2016.

COMME LA FOIS OÙ J'AI CHANTÉ DU CÉLINE DION À UN MOURANT.

PAR CLAUDIA LAROCHELLE

Aimer, c'est se surpasser.
— Oscar Wilde

Je suis émétophobe. J'ai peur de vomir, peur de tout ce qui concerne le « renvoyage » en général. Je préférerais vivre avec quelqu'un qui a le choléra ou la tuberculose qu'avec une victime de la gastro, c'est tout dire. Il m'arrive de fuir les gens qui ont mal au cœur, de peur que... Je me lave les mains quarante-cinq mille fois par jour et je ne frenche jamais sans penser aux microbes. Quand une langue rose se tend vers la mienne, il faut donc que ça en vaille le coup pour que j'envisage d'échanger de la salive. Même chose pour le sexe: je ne le fais qu'en massant au préalable le corps de l'autre... avec du Purell. Je rigole. Mais si peu.

« Je ne frenche jamais sans penser aux microbes. »

Cette phobie démentielle est en partie responsable d'une dépression qui m'a cloîtrée chez moi durant plusieurs mois à l'âge de vingt-quatre ans; plusieurs mois à vivre de l'assurance-chômage et à compter les craquelures dans la peinture défraîchie du plafond de ma chambre. Un jour, bien avant les émissions de Chantal Lacroix, j'ai eu envie de donner au suivant, me disant que ça allait me garder vivante. C'est donc dans cet esprit que j'ai consulté un organisme chargé d'associer des aspirants bénévoles à des causes.

— Qu'est-ce qui vous intéresse dans la vie, mademoiselle Claudia ?

— ...

— Bon. Qui voulez-vous aider ? Les animaux, les enfants malades, les personnes âgées, les itinérants, les femmes battues, les handicapés... qui ? Laissez-vous aller, la misère est vaste !

— Euh. Ben. Ceux dont personne veut s'occuper. Genre.

C'est ainsi qu'à l'été 2002, lors de ma première journée de bénévolat, je me suis retrouvée à nettoyer le vomi d'un sidéen en phase terminale.

À la Maison Jouvence, les bénévoles, choisis après avoir répondu à un long questionnaire sur leurs aptitudes mentales, devaient être prêts à tout, même à laver les planchers à l'occasion. Émétophobe ou pas, je n'allais pas abandonner si vite. Me montrant plus forte que je ne le suis en omettant de parler à la direction de ma dépression et de ma phobie du dégueulis, armée d'une vadrouille, j'ai fait disparaître le v-o-m-i du patient, bouche et nez pincés, imaginant très fort qu'il s'agissait d'une flaque de jus exotique, sorte de nectar à l'odeur étrange. Une fois la tâche fièrement exécutée, je croyais que plus rien ne pourrait me causer autant d'émotions comme bénévole. Pourtant.

Il s'appelait Gérald. Pas celui qui m'avait gentiment offert le contenu de son estomac, mais un autre patient de la Maison Jouvence avec lequel je passais beaucoup de temps lors de mes visites. Il voulait que je l'écoute me parler de son enfance difficile à Sept-Îles, de sa mère morte du cancer du pancréas quand il n'avait que douze ans, de son père et de ses trois frères qui le traitaient de tapette. Eux aussi. Comme les jeunes dans la cour d'école. Et les enseignantes, complices en ne se portant pas à sa défense. À dix-huit ans, celui qu'on surnommait Géral'-la-grosse-pédale ou Gerry-pipi a quitté le bungalow surchargé de testostérone avec, en main, une seule valise rouge. Comme celle des sœurs Lévesque, qu'il se plaisait à dire. Or, ce ne sont pas des sacs de drogue qui étaient dissimulés entre ses deux t-shirts, son jeans bleu trop serré et ses baskets troués ; c'était plutôt du parfum que Gérald aimait s'envoyer dans le nez. Caché comme le plus précieux des bijoux, le flacon fleuri d'eau de toilette *Anaïs Anaïs*, que sa mère avait porté jusqu'à la fin de sa vie, le suivait partout. Il reniflait l'embout en argent de la bouteille blanche et rose quand il avait envie de sauter d'un pont ou de se passer la corde autour du cou. L'odeur maternelle l'empêchait de commettre l'irréparable, persuadé qu'il y avait quelque chose de magique dans ce liquide bon marché.

Huit interminables heures d'autobus plus tard, Gérald, sans un rond, sans diplôme, a commencé à faire des pipes à des messieurs au parc La Fontaine. Puis, il a fait plus, toujours plus plus plus. Il ne mettait pas de capote, il est devenu séropositif et ainsi de suite, jusqu'à notre rencontre dans cette résidence baignée de soleil, de jeux de société, de livres et de téléviseurs, où on lui avait réservé une chambre propre l'année d'avant. C'est ici qu'il allait mourir et, en attendant, il pouvait manger des repas chauds et recevoir des soins dans un espace dénué de jugement. Je le faisais rire avec mes histoires de mauvaises *dates*. J'aimais aller dans sa chambre peinte en vert; il me montrait sa garde-robe et ses vieux *Archie* aux pages cornées. Il m'avait confié qu'adolescent il se caressait en pensant au rouquin de la bande dessinée... À la Maison Jouvence avec Gérald, mes dimanches n'étaient jamais plates.

Avec Carole non plus d'ailleurs. Elle aimait que je lui lise des passages du roman des années soixante-dix *Les oiseaux se cachent pour mourir*, de Colleen McCullough. « Selon une légende, il est un oiseau qui ne chante qu'une seule fois de toute sa vie, plus suavement que n'importe quelle autre créature qui soit sur terre. Dès l'instant où il quitte le nid, il part à la recherche d'un arbre aux rameaux épineux et ne connaît aucun repos avant de l'avoir trouvé. Puis, tout en chantant à travers les branches sauvages, il s'empale sur l'épine la plus longue, la plus acérée. Et, en mourant, il s'élève au-dessus de son agonie dans un chant qui surpasse celui de l'alouette et du rossignol. Un chant suprême dont la vie est le prix! Le monde entier se fige pour l'entendre, et Dieu dans son ciel sourit. Car le meilleur n'est atteint qu'aux dépens d'une grande douleur... ou c'est du moins ce que dit la légende. » Ce passage, Carole le voulait comme épitaphe. J'espère que son vœu s'est réalisé. Carole ne demandait rien d'autre. Ça et retrouver son Miguel, celui qu'elle avait épousé en secondes noces en République dominicaine, là même où elle l'avait rencontré quelques mois auparavant lors d'un voyage avec des amies à Puerto Plata. En échange de l'amour éperdu de Carole, le jardinier d'hôtel quatre étoiles lui avait redonné sa confiance en elle. Ça et le VIH. Elle s'était dit qu'avec un jardinier d'hôtel quatre étoiles qui venait d'une bonne famille de Dominicains et qui parlait français en prime, elle pouvait bien se laisser aller, il devait être *clean*... Elle ne s'était même pas fâchée contre lui quand elle avait reçu son diagnostic. Carole aimait plus que tout son nouveau mari bronzé. Elle en voulait par contre à ses deux filles de lui avoir trouvé un centre de soins si loin de son Miguel, demeuré auprès de sa mère dans son pays natal. Au dire du personnel de la Maison, l'homme n'en avait plus pour très longtemps. Pour se consoler, Carole rêvait au père Ralph et à Meggie Cleary, restant ainsi dans un fragile équilibre, quelque part entre sa fin imminente et l'espoir d'une guérison.

Un autre patient, Max, lui, n'avait jamais lu un livre de sa vie. La passion mcculloughienne entre un prêtre et une ingénue le laissait de glace. Sa Meggie, c'est en moi qu'il la voyait... Je l'avoue, ça me flattait qu'un *bum* ténébreux me trouve de son goût.

Entre ses séjours à Bordeaux (pas la ville française, m'avait précisé le directeur de la Maison en me décrivant le résident), il ne pensait qu'à sa prochaine injection de dope. Il me montrait ses avant-bras où des tatouages, de vieilles cicatrices et des ecchymoses se disputaient l'espace. Des dessins faits par un autre détenu. Rien de spectaculaire, mais Max aurait tant voulu que je les trouve beaux. Ses « tatous », ainsi que lui-même. Il n'était pas laid, par ailleurs. À peine plus âgé que moi. Dans ses bonnes journées, il m'attendait avec des fleurs cueillies sur le terrain de la maison d'à côté. Dans ses moins bonnes, je le retrouvais recroquevillé en position fœtale dans le lit simple de la chambre qu'il partageait avec un autre résident. Ses joues se creusaient, sa peau verdissait et des cernes de plus en plus foncés rendaient son regard triste. Sa santé déclinait, il avait contracté une grippe coriace et respirait de moins en moins bien, jusqu'au jour où il s'en est allé pour toujours.

Je m'en rappelle parce que trois jours avant, alors que j'étais à son chevet, tentant de le divertir en lui parlant de n'importe quoi — comme le score des équipes de la FIFA que je m'efforçais de suivre pour peut-être l'intéresser —, il m'a dit qu'il ne croyait pas en Dieu, mais aux anges, ça oui, et qu'à chacune de nos rencontres, je le persuadais de leur existence...

J'avoue que vers la fin de sa vie, lorsque je passais plus de temps avec Max qu'avec d'autres, je prenais soin d'enfiler des robes assez moulantes et décolletées; plus courtes aussi. Mon rouge à lèvres était plus rouge qu'à l'habitude. Je me demande encore si c'est mal d'avoir agi ainsi.

J'ai appris son décès en voyant une photo de lui sur le babillard du vestibule de la Maison Jouvence, entre les prospectus d'organismes communautaires, les messages aux résidents et les proverbes chinois. Maxime Faulkner, 1974-2002. Le beau Max; la mine haute, presque défiante ou victorieuse, la gueule carrée, rasée de près. Une photo d'une autre époque. Celle d'avant la femme qui lui avait brisé le cœur, d'avant les larcins, la dope et la mort. J'ai ravalé mes larmes d'ange largué, j'ai redressé le dos et j'ai continué à ramasser de la vaisselle dans les chambres, à jaser de marques de voitures, à fumer des cigarettes avec les patients et à lire du Colleen McCullough à haute voix sur la chaise droite au pied du lit de Carole.

Puis, c'est Gérald qui s'est mis à dépérir à une vitesse folle. Alité depuis quelques jours déjà, rendu faible par la maladie et les médicaments, il semblait soucieux et triste. Le décompte de la fin résonnait dans la pièce comme les pas d'un troupeau d'éléphants. Aucun de ses frères ni même son père ne s'étaient manifestés alors qu'ils le savaient en phase terminale. Massage des extrémités, lecture de journaux à potins, visionnement de *Pretty Woman* en boucle, hausse ou baisse du chauffage, service de popsicles aux bananes à volonté, *Je vous salue Marie pleine de grâce* appris par cœur sur recommandation de ma grand-mère: j'ignorais comment agir pour réconforter Gérald, qui avait la frousse du grand trépas.

Puis, dans un filet de voix, il m'a fait LA demande:

— Chante-moi donc *On ne change pas* de Céline Dion. Ça m'aiderait à partir tout doucement.

— J'imagine que tu n'as pas la force de me niaiser aujourd'hui, mon Gérald...

— ...

— Je t'avertis, je connais les paroles, mais je chante mal.

J'ai chanté *On ne change pas* d'un trait. J'ai chanté de la gorge, du ventre, du cœur et du corps, la chair tremblante, les poils dressés sur les bras. J'ai chanté, chanté, chanté comme jamais, avec l'assurance d'une cantatrice. Ce jour-là, dans la chambre aux murs verts du grand Gerry-pipi qui ne pesait plus que 120 livres, j'étais Céline Dion. L'homme s'en est allé tout doucement. J'espère que là où il se trouve, Archie le minouche dans le cou.

Quelques semaines plus tard, je quittais mon poste de bénévole à la Maison Jouvence pour occuper des fonctions de grande personne rémunérée dans un journal. J'ai moins peur de vomir qu'avant. Hier, mon enfant a expulsé en jets son repas sur moi, comme la petite fille dans *L'Exorciste*, et je n'ai même pas bronché. Aussi, quand je me sens tristounette, je cours à la pharmacie renifler des flacons d'*Anaïs Anaïs* ou je chante une toune de Céline Dion.

Journaliste et écrivaine, Claudia Larochelle anime depuis 2012 *LIRE* sur ICI ARTV, la seule émission de télévision québécoise consacrée à la littérature d'ici et d'ailleurs. En 2011, elle faisait paraître *Amour & libertinage par les trentenaires d'aujourd'hui*, un collectif qu'elle codirigeait. Son recueil de nouvelles, *Les bonnes filles plantent des fleurs au printemps,* voyait le jour la même année et recevait un excellent accueil critique. En 2014 paraissait son roman *Les îles Canaries* dans la série *Vol 459*. Son prochain livre, attendu pour cet automne, en est un de réflexions sur la vie et l'œuvre de l'écrivaine Nelly Arcan.

COMME LA FOIS OÙ (FAUTEUIL).

PAROLES DE CHANSON PAR SIMON PROULX DES TROIS ACCORDS

Comme la fois où
Nous fûmes roux
Sous la table du salon
Regardant la télévision

Mais je voudrais, s'il te plaît, cette fois
M'assouplir dans le fauteuil avec toi

Comme la fois où
Nous fûmes mous
Sur la dureté du bois franc
Heurtant nos tendres genoux blancs…

Mais je voudrais, s'il te plaît, cette fois
Me réunir dans le fauteuil avec toi

Et quand la vie nous prend
Qu'elle nous vole notre temps
Nous nous sentons avec les yeux
Et quand la vie nous tend
Qu'elle nous donne un rude moment
Nous nous sentons mieux à deux

Comme la fois où
Nous fûmes fous
Avant que sur nos cœurs se déposent
De douloureuses ecchymoses…

Mais je voudrais, s'il te plaît, cette fois
M'inspirer dans le fauteuil avec toi

Et je te laisserai la moitié de mon coussin
Si jamais tu me rejoins
Nous serons enfin confortables
Nous verrons par-dessus la table

Simon Proulx est de sexe masculin depuis qu'il est né à Drummondville. Alors qu'il traverse sa tendre enfance, il aime danser et dessiner sous la douche, mais ses rêves de peintre dansant sont abruptement interrompus par l'arrivée soudaine de la popularité du groupe dont il est le chanteur et guitariste: Les Trois Accords. Cette reconnaissance lui apporte gloire et bijoux et lui donne envie d'écrire sur tout ce qui bouge. En ce moment précis, Simon poursuit toujours ses activités musicales au sein du groupe, et poste son curriculum vitæ pour devenir secrétaire général de l'ONU.

COMME LA FOIS OÙ DEUX TONNES DE MÉTAL M'ONT BRISÉ LE CŒUR ET RÉPARÉ L'ÂME.

PAR FANNY BRITT

La bête était étincelante, sur les photos. Une roulotte Airstream Sovereign 1978, trente pieds d'acier et d'aluminium arrondi qui tenaient sur quatre petites roues de voiture placées en plein milieu de la plateforme. Un miracle que cet avion terrestre ait pu survivre plus de trente-cinq ans aux hivers du nord-est de l'Amérique sans se désintégrer. L'intérieur n'avait pas été retouché depuis sa construction, à part cette housse fleurie dans des tons pastel, un tout petit peu trop étroite pour les coussins; leur tissu d'origine, un faux tweed bourgogne aux rainures rêches, débordait de la housse de remplacement et donnait à la banquette des airs de cadeau qu'un jeune enfant aurait emballé. Autrement, la machine avait conservé sa gloire d'origine, toute de formica marron et de fibre de verre vêtue.

Le monsieur au bout du fil avait la voix rocailleuse mais douce, et il était heureux de nous céder la roulotte avec laquelle il avait sillonné les routes du Québec — j'aimais imaginer que tous les airstreamers passaient leurs étés dans le désert du Nevada ou à Big Sur, mais ce monsieur aimait surtout Saint-Roch-de-l'Achigan, et il avait de la famille en Beauce, aussi. Mon mari et moi jugions le prix dérisoire, considérant qu'une Bambi 1962 d'à peine seize pieds avait été vendue récemment aux États-Unis pour cinquante-cinq mille dollars. Bon, celle-là avait un intérieur tout noyer et son extérieur en lanières d'acier inoxydable brillait comme un miroir, mais tout de même, pour une petite fraction de ce montant, nous étions sur le point de mettre la main sur une roulotte en état de rouler — que pouvait-on demander de plus ? Nous pensions en démolir l'intérieur de toute manière.

La démolition, c'est notre truc. En près de dix ans de vie commune, nous avons fait disparaître, puis reconstruit: un sous-sol, une cuisine, une salle de bain, l'appartement du locataire, une maison de campagne avec son toit de tôle, sa véranda couverte, sa remise. Une chambre d'enfant. Puis une autre chambre d'enfant. Une cour. Une roulotte d'aluminium.

Démolir, c'est une manière de promesse, chez nous. C'est dire: un autre monde existe, et nous le construirons. C'est dire: je te bâtis un temple, mon amour. Même si ce temple fait huit pieds par trente et dégage une vague odeur de pipi et de cendrier. Au moment de la visite, le propriétaire du garage d'entreposage s'est contenté de nous ouvrir la porte et de nous pointer les auvents bleus à rayures, *même pas troués, madame*. L'intérieur ne l'intéressait pas plus que nous, pas parce qu'il savait que nous le détruirions, mais parce que tout était fonctionnel: poêle, frigo au gaz, toilette d'avion, lits de mousse jaune. Ici manger, ici dormir, ici jouer aux cartes les jours de pluie. Nous avons soulevé le tapis humide, découvert un plancher de plywood qui semblait sain. Nos garçons ont fouillé dans les armoires, trouvé quelques vieux dés et un jeu de crib. Nous avons serré la main du propriétaire et promis de revenir le samedi suivant avec un *pick-up* et une bonne dose d'ambition.

« Démolir, c'est une manière de promesse, chez nous. »

Le jour venu, nous avons installé notre fils cadet dans le *pick-up* de location et laissé notre fils adolescent à la maison, sous la couette, d'où ses longues jambes, qui grandiraient sans doute d'un centimètre ou deux d'ici notre retour, dépassaient. Nous avons pris la route en direction de Shefford, où nous attendait la bête. J'étais de grise humeur, ce matin-là, et pas seulement parce que nous étions au lendemain d'une fébrile soirée de distribution de bonbons d'Halloween qui m'avait laissée migraineuse et vaguement misanthrope. La veille, entre la visite d'un groupe de petits gloutons aux costumes génériques et l'apéro joyeux mais grelottant avec nos voisins, sur le palier de notre maison, mon mari m'avait annoncé que, finalement, après mûre réflexion, nous devrions sans doute renoncer à faire un autre bébé. Le sujet était sur la table depuis quelques mois. Nous tanguions entre l'envie folle de replonger et l'envie folle de ne pas replonger. Ce n'était pas la première fois qu'il parlait de ses réserves. Mais c'était la première fois que l'annonce paraissait aussi définitive. Nous avions déjà deux enfants, un de son sang, et un autre qu'il aimait comme si, depuis près de dix ans. Tous deux avaient mes taches de rousseur. Tous deux avaient laissé leurs empreintes sur mon ventre et tracé un sillon d'extase et d'effroi au creux de mon cœur perpétuellement inquiet.

Mais tandis que cet amour chaotique et vivifiant comblait totalement mon mari, pour ma part, je me battais avec l'idée persistante qu'il faudrait que je fasse un autre enfant. Cette idée — et par *idée*, j'espère que tous comprennent que je veux dire *fixation* — m'avait menée vers moult lectures de *mommy blogs* américains où de splendides jeunes femmes vêtues de lin et de sandales suédoises paradaient leur progéniture nombreuse entre deux recettes de salade de pastèque-menthe-feta. Là, je m'empiffrais de projection, je trouvais cette multiplication d'enfants aux chevelures semblables et aux bottes de pluie agencées absolument émouvante, et la seule phrase qui tournait en boucle dans ma tête était: *moi aussi moi aussi moi aussi*. Je notais et classais mentalement les situations de toutes les femmes que je rencontrais. Elle: trois enfants. Elle: deux enfants. Elle: pas d'enfant. Elle: un enfant. Elle: quatre enfants. Elle: deux enfants mais attend le troisième. Elle: trois enfants et ne s'arrête que parce que *c'est pas raisonnable mais si c'était rien que d'elle, elle en aurait huit*. Moi: au bord de l'implosion, gavée de névroses. Qui serais-je? Qui devais-je être? Souvent, l'ensemble de mes privilèges (avoir ce choix, avoir tous les choix) me donnait la nausée et me faisait fuir devant Netflix. La douce idée s'est rapidement transformée en torpille obsessive dans laquelle fantasmes, anxiété et pression interne s'embrouillaient jusqu'à m'étourdir. N'y avait-il pas là un indice clair que mes années reproductives n'étaient pas encore derrière moi? Je veux dire: c'est assez désagréable, comme état. Qui s'y attarderait sans bonne raison? Ce n'était qu'une question de temps, n'est-ce pas? Avec le temps, je cesserais de craindre, lors d'une maladie banale d'un de mes fils, que toute inquiétude supplémentaire pour un être aimé m'achèverait assurément. Avec le temps, je ne ressentirais plus la plénitude qui m'habitait lorsque nous étions réunis tous les quatre dans la voiture, au moment exquis où l'on ferme les portières juste avant de prendre la route des vacances en sachant qu'il *ne nous manque personne*. Avec le temps, cette plénitude se flétrirait et serait remplacée par l'urgence de nous serrer un tout petit peu plus sur la banquette arrière pour accommoder l'autre, le prochain, celui qui ferait de nous une *famille complète*. Ce n'était qu'une question de temps avant que je devienne *cette mère-là*, me répétais-je. Et de convaincre mon mari.

Inutile de préciser que lorsque la nouvelle est tombée, le soir de l'Halloween, je l'ai prise comme un affront au temps et que, le lendemain matin, c'est avec ma face la plus obstinément fermée que je me suis calée sur le siège passager du *pick-up* pour aller chercher une roulotte en métal trouvée sur Kijiji.

Il faisait un froid de fin du monde, ce matin-là, ce qui ne veut pas dire qu'il faisait moins trente. Non, le froid de fin du monde, c'est celui qui t'annonce qu'à partir de maintenant, rien ne sera plus agréable, tout finira par se figer dans le gris comme des vestiges de Pompéi. Un temps d'hiver qui commence. Mon fils cadet s'amusait avec la tablette que je lui avais autorisé à apporter, coupable d'imposer à son samedi la traversée du pont Champlain et ma face d'enterrement. Mon mari conduisait et feignait d'écouter attentivement la radio; je ruminais en silence. Maintenant que ce projet de grande famille n'était plus sur la table, quel projet signifiant m'occuperait donc ? Qu'est-ce qui pouvait bien avoir autant de sens que faire des enfants ? Se construire un chalet face au fleuve ? N'était-ce pas là l'alternative la plus horriblement bourgeoise qui soit ? Quelque part entre la sortie 78 de l'autoroute 10 et le garage d'entreposage, la phrase s'est frayé un chemin de mon esprit renfrogné à ma bouche. Les mots sont sortis: «Je sais même pas ce qu'on fait ici. Ça va être ça, notre projet de vie ? Du matériel, des possessions, de l'argent.» Je peux être tout à fait charmante, le samedi matin. Souvent, je fais des crêpes. Mais pas ce samedi-là. Mon mari a tourné lentement la tête vers moi, avec quelque chose comme de la fureur, et une grande peine, dans l'œil. Je regrettais déjà ce que j'avais dit. Mais c'était dit.

Le fils du propriétaire du garage d'entreposage nous attendait à l'entrée. Nous avions un mastodonte de deux tonnes à harnacher à un *pick-up*. Les questions existentielles devraient attendre. Notre homme avait la mi-vingtaine tout au plus et portait l'uniforme des garçons de son âge un jour de congé: pantalon de jogging, kangourou, casquette.

Pas de manteau. Il était parti à la va-vite, certainement. Il traînait dans chaque main une petite fille. L'une avait cinq ou six ans, l'autre à peine deux ans. Manteaux roses, tuques roses, bottes roses, mitaines roses. Avec l'occasionnelle variation en mauve. Il les a emmenées jusqu'au tracteur, où il les a fait asseoir. La grande à côté de lui, la petite directement sur ses genoux. J'ai pensé: *là-bas, à la maison, leur mère est couchée. Il lui avait promis qu'elle aurait un* break, *ce matin*. Mais je me trompais peut-être. Leur mère était peut-être au travail. Leur mère était peut-être dans sa nouvelle maison avec son nouveau chum et c'était sa fin de semaine sur deux de liberté et elle n'allait pas s'en priver parce que l'ex était incapable de s'organiser, oh que non. Leur mère était peut-être en train d'allaiter la petite dernière, une troisième fille, et tout le monde depuis sa naissance faisait des blagues d'œstrogène à celui qui manœuvrait son tracteur avec l'aisance des habitués. Eux, avaient-ils eu peur de faire des enfants ? Ou avaient-ils eu peur de ne pas en faire ?

Mon fils gardait sa petite main dans la mienne, impressionné par le tracteur et envieux des fillettes qui avaient le privilège de s'y asseoir. Mon mari, d'ordinaire « l'homme de la situation », celui qui sait manipuler tous les outils et réparer tous les bris, ne pouvait que regarder l'autre faire, les mains timidement placées sur les chaînes et les câbles dont il ignorait manifestement le fonctionnement. Le jeune homme au tracteur était tout-puissant dans sa rugosité et son savoir-faire. Nous ne pouvions que nous tenir sur le bas-côté, avec nos bottes de citadins et nos questionnements de privilégiés. Le jeune homme nous a prodigué deux-trois conseils laconiques sur la conduite du véhicule, puis nous sommes repartis, notre charge accrochée derrière nous.

Un silence prudent, concentré, a alors envahi la camionnette. Toute manœuvre devait être prévue et annoncée. On ne tourne pas le coin d'une rue avec autant d'agilité quand on traîne trente pieds de métal derrière soi. Le petit a crié *j'ai faim*, parce qu'il était midi, et nous avons choisi de nous arrêter dans le premier restaurant doté d'un stationnement assez grand et assez vide pour qu'on n'ait jamais à reculer ni à tourner trop abruptement. L'Express de Waterloo, une cantine de campagne où chasseurs et vieux de la place se retrouvent pour manger deux œufs-bacon, ferait parfaitement l'affaire.

À table, les épaules de mon mari se sont détendues, un tout petit peu. Il avait réussi à parcourir une vingtaine de kilomètres sans catastrophe. Il a commandé un club sandwich avec aplomb. Le stress, ça creuse l'appétit. La peine aussi, chez lui. J'ai réentendu mes mots, les accusations acerbes, vénéneuses. Mon cœur explosait d'amour pour cet homme depuis notre rencontre, près d'une décennie plus tôt. Le voir souffrir m'était insupportable, particulièrement quand c'était ma faute. J'ai tendu la main au-dessus du napperon de papier. Il a tendu la sienne sans se faire prier. Ce n'est pas un boudeur. Il a souri tristement, moi aussi, et la serveuse affairée est venue déposer les liqueurs sans forcer nos mains à se quitter. «Toi aussi, tu doutais. Tu doutais autant que moi.» Il avait raison, évidemment. Je doutais autant que lui, et je soupçonnais surtout que mon élan ne tienne davantage à d'obscurs motifs névrosés qu'à une pulsion viscérale, irrésistible, comme ç'avait été le cas pour mes autres enfants. Mais sur le coup, impossible d'encaisser sans me débattre. Mon mari, par sa franchise, m'avait privée de la merveilleuse illusion d'être sans taches.

Par la fenêtre, nous pouvions voir les têtes se retourner sur notre mammouth. Les chasseurs lui faisaient même un petit signe de tête, comme un assentiment plein de respect. Les enfants se collaient le visage aux fenêtres, les vieux se racontaient le bon vieux temps où les voitures faisaient rêver. Ce mastodonte inconvenant ne donnait qu'une envie: prendre la route. Mon mari a mis du vinaigre sur ses frites. «J'ai dit que j'en voulais pas, tu sais, mais ça veut pas dire que j'ai raison.» J'ai ri. J'allais avouer: «C'est probablement toi qui as raison.» Ces vertiges, ces noirceurs, ces deuils étaient les nôtres.

Nous avons payé et sommes montés dans notre *pick-up* loué pou
parcourir la centaine de kilomètres qui nous séparaient de Montréal
rétroviseur était rempli du Airstream qui s'accrochait bravement à
J'ai posé la main sur la nuque de mon mari, comme il aime que
quand il conduit. Une sublime absence de doute est monté
cette roulotte arriverait à bon port. La route serait plus lon
et il nous faudrait de longues minutes confuses et hilares
nous stationner correctement dans l'entrée banlieusar
Nous n'étions pas au bout de nos peines, non plus. Da

suivraient, chaque pan de mur enlevé révélerait une fissure dans la structure de la roulotte, et chaque morceau de plancher, la rouille de ses fondations. Notre roulotte était, et continuerait d'être, cabossée, compliquée, fragile. Et splendide. Nous ne le savions pas encore, ce samedi-là, les yeux rivés sur notre cargo de deux tonnes. Nous ne pouvions que nous étonner et nous délecter du fait qu'à ce moment précis, tout nous paraissait léger.

Fanny Britt est écrivaine, auteure dramatique et traductrice. Elle compte une douzaine de pièces de théâtre à son actif, dont *Bienveillance*, lauréate du Prix du Gouverneur général du Canada en 2013. Ses pièces ont été montées sur de nombreuses scènes au Québec, aux États-Unis et en Europe. Publié aux Éditions de la Pastèque, son roman graphique, *Jane, le renard et moi* (illustré par Isabelle Arsenault), a remporté de nombreux prix à travers le monde (dont le Prix du livre jeunesse des Bibliothèques de Montréal, un prix Bédéis Causa, une nomination à Angoulême, plusieurs Joe Shuster Awards, et une place dans la prestigieuse liste des «10 Best Illustrated Books» du *New York Times*) et a été traduit en plusieurs langues. On lui doit également des essais littéraires (dont *Les tranchées: maternité, ambigüité et féminisme, en fragments*, paru chez Atelier 10 en 2013). Son premier roman, *Les maisons*, vient tout juste d'être publié.

COMME LA FOIS OÙ J'AI ARRÊTÉ DE SNOBER LES BEATLES.

PAR JIMMY BEAULIEU

PRIVÉ

Québec, septembre 1996

Dérange pas le monsieur, Jules.
Oh, il ne me dérange pas vraiment.
Ça fait drôle de voir le backstore...
PRIVÉ
C'est mystérieux, hein?
Peut-être que vous pouvez m'aider... Je cherche un livre.
Bien sûr!
PRIVÉ
Hm. On l'a pas, en ce moment, mais je peux vous le commander.
L'ÉQUIPE A
STUPE EN ESTON
AU FAÎTE DE SA GLOIRE
Au revoir... Viens, Jules! On s'en va.

Et voilà. Merci et bonne lecture!
Merci à vous, bonne fin de journée...

Hé! C'est la fille avec les cheveux couleur coucher de soleil d'automne!

J'ai... j'ai vraiment osé lui dire ÇA ?... Ça devait tellement faire grosse drague visqueuse!...
Ben non, pas pantoute. C'était super cute...

GROIN
Esther O. Gallagher
Prix Glouglou
Robert POPOV
Pierre-Paul Delenclume
La belle aux ciseaux rouillés

La maman rousse...

Ah ben! Comme on se retrouve!
On ne se quitte plus! HA! HA! HA!
Je pensais justement à toi...
AH?

On passe beaucoup de temps à jaser ensemble, hein?
Ouains, en effet. Ma patronne me le faisait justement remarquer.
OUPS! 'Va falloir qu'on prenne rendez-vous, alors! ...
HA! HA! Ben oui, ben oui!...

C'est elle ! C'est VRAIMENT elle.

TOC TOC
TOC

Allô, Marika.
Allô, Jim!

Je monte plier ma brassée, puis après, je vais au resto, en face. Il y a un Halloween party. Veux-tu venir avec ?

Euh... est-ce qu'il faut se déguiser?
GREAT! Pick you up dans 20 min!

Est-ce que je t'ai introduit à Jimmy? Il vit dans le basement de mon bloc.

«introduit»?

Seb.

'chanté.

Mais on se connaît un peu, quand même. Deux œufs bénédictine, avec cheddar fort et un double court.

Heh.

Décidément... le hasard insiste pour nous réunir... Notre rendez-vous ne se fera pas trop attendre...
Décidément ...

Ben... Moi, c'est Jimmy.
Claire.
Est-ce que je peux me joindre à vous ?
Je vous en prie.

HAHAHAHAHA! Non, non, j'ai pas de chum, non...
J'ai mis ça derrière moi, tout ce folklore...

Quoique... bon... je pense qu'il y a un homme de qui je pourrais bien tomber amoureuse...

Je pense que tu le connais. Vous faites de la musique ensemble ...

Jimmy Beaulieu

Bon ben...
bye, là...
À' prochaine!
Spécial 2
10.

I think I'm gonna be sad, I think it's todaaay, yeah!
AAAAAAAAA
The girl that's driving me mad is going away
She's got a ticket to ride
She's got a ticket to ride
She's got a ticket to ride...
But she don't care!
Café

Comme la fois où j'ai arrêté de snober les Beatles.

L'auteur Jimmy Beaulieu (*Non-aventures*, *Comédie sentimentale pornographique*, *À la faveur de la nuit*, *Le temps des siestes*) a fait un peu tous les métiers liés à la bande dessinée. Il a notamment fondé les collections Mécanique générale et Colosse. Il consacre aujourd'hui la majorité de son énergie au dessin autonome et à la formation. Il publie régulièrement des rééditions augmentées de ses vieux succès.

COMME LA FOIS OÙ J'AI FAILLI FOUFOUNER.

PAR BIZ

Avertissement. L'histoire qui suit est vraie. Aussi vraie que la traverse de lutins à Saint-Élie-de-Caxton. Elle m'a été racontée par un ami hipster *lors d'une tournée sur la Côte-Nord. Normalement, ce qui se dit dans le* truck *reste dans le* truck. *Mais étant donné l'histoire, la règle méritait une entorse.*
Biz

Le souper n'était pas tout à fait prêt. J'espérais qu'elle serait en retard, mais à dix-neuf heures pile, ma sonnette a retenti: un sinistre grésillement de chaise électrique qui me crispait le cœur à chaque fois. J'achevais de hacher du persil dans la cuisine. J'ai couru à la porte en replaçant un coussin sur le divan en passant.

Avant d'ouvrir, je me suis examiné rapidement dans le miroir ovale de l'entrée. Cheveux *preppy*, barbe islamiste, chemise à carreaux: à la fois détaché et branché, j'avais tout du parfait bûcheron urbain. Mais ce n'était qu'illusion. Je détestais la nature et mes doigts fins manipulaient plus souvent les gins-concombre dans des pots Mason que la scie à chaîne.

De toute façon, les jours de ma barbe étaient comptés. D'abord, elle prenait trop de place dans ma vie; j'étais constamment en train de la peigner et de vérifier si elle ne contenait pas des restants de mon dernier repas. À ce sujet, la soupe à l'oignon m'était interdite et les cornets de crème glacée exigeaient une minutieuse logistique avec les serviettes de table. Et puis, ça commençait à me coûter cher en produits: blaireau fait main, shampoings et pommades, peigne en corne de bœuf; je payais tout en euros sur le site français mabellebarbe.com. Mais surtout, la barbe *hipster* était rendue trop *hip*. Pas moyen de faire un pas dans le Mile-End sans trébucher sur un de mes sosies.

Mon cœur battait fort et je souriais trop. J'ai expiré longuement pour me calmer. Ce n'était quand même pas la première fois que j'invitais une fille chez moi pour jouer à monsieur-madame. Sauf que là, j'avais l'impression que ça pouvait être la bonne.

J'avais rencontré Aurélie alors que j'auditionnais des comédiennes pour une pub de tampons. Sur le plateau, elle avait subjugué tout le monde; drôle mais crédible, sexy mais pas vulgaire, brillante sans être prétentieuse. Je l'avais chaudement recommandée au client. Malheureusement, celui-ci la trouvait, selon ses propres mots, *trop ethnique*. Il est vrai qu'elle avait un côté méditerranéen (par sa mère marocaine, m'avait-elle confié après l'audition), mais je ne voyais pas en quoi ça posait problème pour vendre des tampons. Toutes les femmes saignent une fois par mois.

J'ai essuyé la moiteur de mes mains dans ma barbe et j'ai ouvert la porte. Aurélie portait une tuque blanche avec un énorme pompon, des mitaines assorties, un manteau Canada Goose, un legging noir et des bottes de coureuse des bois bordées de fourrure. La mode hivernale féminine avait vraiment progressé. On pouvait dorénavant être confortable et sexy, même à moins vingt. Son sourire et ses joues rougies lui donnaient l'air d'un enfant qui arrive de jouer dehors.

— Salut. Rentre, rentre.

— Y fait vraiment frette.

La pauvre frissonnait comme une mésange en janvier. Je l'ai embrassée sur les joues. C'était tellement froid que si j'avais sorti ma langue, elle serait restée collée.

— T'es toute froide.

Je l'ai serrée contre moi pour lui frictionner le dos. Réchauffer une fille, c'est le meilleur moyen de la taponner tout en restant galant.

— Merci. Ça fait du bien.

Elle m'a passé son manteau. Elle pouvait bien avoir froid: elle ne portait qu'un chemisier transparent qui laissait filtrer les textures de son soutien-gorge noir. En se penchant pour se déchausser, elle m'a offert une occasion exclusive d'examiner ses fesses. À travers son legging, aucune trace de petite culotte. Elle avait probablement un string, mais peut-être pas. À ce moment, j'ai su qu'on allait foufouner furieusement.

— Veux-tu du vin ? Ça va te réchauffer.

Je lui ai tendu une couverture en polar pour qu'elle puisse s'y blottir sur le divan.

— Volontiers. Hum, ça sent bon. Qu'est-ce qu'on mange ?

J'ai répondu depuis la cuisine.

— Osso buco.

Je farfouillais dans le tiroir à la recherche d'un ouvre-bouteille. J'avais l'impression de faire un boucan épouvantable. Il fallait que je me calme. Je suis revenu avec deux coupes pleines et le reste de la bouteille de bourgogne. Assise sur ses jambes repliées, elle était cachée sous la couverture. J'avais monté le chauffage au max. Ce n'était qu'une question de temps avant que je revoie son troublant chemisier. Elle a sorti un bras pour attraper la coupe. Nous avons trinqué. Juste à ma droite, sur mon bureau surchargé, se trouvait mon nouvel ordinateur portable. J'ai sélectionné une radio de musique transe en provenance d'Ibiza.

— C'est beau chez vous.

Mon appartement était à mon image : petit, propre et baroque. Aurélie fixait une grande toile, qui représentait le Stade olympique sur fond de multiples carreaux colorés comme un vitrail.

— C'est un ami qui l'a faite. Travailles-tu beaucoup ces temps-ci ?

— Un peu. Je fais surtout du théâtre.

Pour un jeune comédien, *faire du théâtre* est une expression commode pour dire : « Y'a cinquante nouveaux diplômés en jeu chaque année, et de moins en moins de rôles, faque je travaille pas, faque on passe à autre chose, stp. » Je n'ai pas insisté.

Je l'ai regardée dans les yeux. Nous avons bu une longue gorgée en même temps. Un silence plein de promesses nous enveloppait. Elle a finalement trouvé le courage de me demander:

— Penses-tu que je vais avoir la pub ? J'ai pas eu de nouvelles.

Je ne pouvais quand même pas lui annoncer que monsieur Tampon l'avait flushée pour une grande blonde.

— Ça peut prendre quelques jours encore. T'étais mon premier choix, mais c'est le client qui a le dernier mot.

Ma réponse lui laissait de l'espoir. Elle a vidé son verre. Elle buvait vite; c'était bon signe. L'alcool commençait à réchauffer ses réacteurs. On n'allait pas tarder à décoller. Le désir est comme l'élastique d'une fronde: plus on l'étire, plus l'impact est puissant. Si on s'était sautés dessus à ce moment-là, la suite aurait pu être différente. Malheureusement, on a étiré l'élastique jusqu'à ce qu'il nous pète en pleine face.

Elle a ôté la couverture de ses épaules. Sa blouse était transparente comme une peau de serpent prêt à muer. Je ne cherchais même pas à dissimuler que je fixais ses seins. Excellente volumétrie et parfaite rotondité, mais avec l'évolution du rembourrage dans les soutiens-gorge, ça devenait difficile de porter un jugement éclairé. Quoi qu'il en soit, enveloppée dans son étoffe translucide, sa poitrine était un papillon qui ne demandait qu'à sortir de son cocon.

Pas un mot. Une délicieuse tension soutenue par la transe d'un *beat* techno hypnotique. Comme prévu, le vin faisait craquer la digue de ses inhibitions. Elle a étiré ses jambes sur les miennes. Avec un plaisir croissant, je palpais ses cuisses. Ma main glissait sur le legging, explorant une chair à la fois souple et ferme. Avec Michel Rivard, le legging est le seul héritage valable des années 80. Il (le legging, pas Michel Rivard) peut tout aussi bien raffermir des grosses fesses que galber un petit cul.

Un de ses pieds a bifurqué vers mon entrejambe. C'était le signal qu'attendait ma main pour dériver jusqu'à son delta. Elle a lentement écarté les jambes pour me laisser manœuvrer. J'allais enfin découvrir si elle portait un string. Soudainement, elle s'est retournée vers moi et m'a renversé sur le divan pour me chevaucher. Elle s'est penchée vers l'avant pour déposer sa coupe à côté de mon ordi. À ce moment, j'aurais dû déplacer le verre, mais j'avais la tête entre ses seins et je n'avais plus de sang au cerveau.

« Avec Michel Rivard, le legging est le seul héritage valable des années 80. »

Aurélie s'est redressée avant de défaire un à un les boutons de son chemisier. Tanné naturellement, son ventre était lisse comme une dune du Sahara. En se cambrant, elle a dégagé complètement ses seins. Arrachant sa blouse, elle l'a fait tournoyer telle une amazone menant la charge. Mon cœur pulsait au rythme binaire de la musique. Le temps et l'espace fusionnaient.

Il y a eu un bruit de verre brisé, le chemisier s'est arrêté de tourner et la musique, de jouer. Mon ordi ! Évidemment, son ostie de chemisier avait renversé le verre sur mon ordi. Je me suis redressé en repoussant Aurélie un peu trop fort. Elle a lâché un petit cri en basculant sur le divan. Je fixais le cadavre de mon Mac, qui gisait dans le vin rouge et le verre brisé.

— Tabarnak !

J'ai tourné l'appareil à l'envers en le secouant pour éviter que le vin s'écoule entre les touches. Des débris de verre tombaient sur mon bureau. Des factures et le dernier Houellebecq étaient imbibés de bourgogne. J'appuyais frénétiquement sur le bouton de démarrage, comme un médecin s'activant avec un défibrillateur. En vain. L'écran était gelé. Le décès était survenu à dix-neuf heures vingt-quatre.

— Câlisse !

Je m'étais saigné pour me procurer ce nouveau Mac Air Book Pro Plus. Je l'avais depuis deux jours et je venais tout juste de finir de le configurer. La boîte était encore dans le recyclage. Avec cet ordi, j'aurais enfin pu écrire mon film. Aurélie aurait pu avoir un rôle. Mais non. Tout notre avenir s'écroulait. À cause de cette conne même pas foutue d'enlever sa chemise sans tout casser.

Aurélie avait reboutonné sa blouse en jalouse et se regardait les pieds, aussi piteuse qu'un chien qui a chié sur le tapis.

— Je m'excuse.

J'ai eu envie de lui souligner que le verbe *excuser* est synonyme de *pardonner*. Dire « je m'excuse » après avoir fait une gaffe, c'est comme dire « je me pardonne ». Il faut plutôt demander à l'autre de nous pardonner en employant l'impératif : « excuse-moi ». Trêve de sémantique. J'étais en furie, mais elle faisait vraiment pitié ; je me suis approché pour la prendre dans mes bras. Je n'avais plus aucun désir pour elle. Au bord des larmes, elle a miaulé :

— C'est pas de ma faute.

— En fait, oui, c'est de ta faute. Mais tu l'as pas fait exprès.

Je comprenais très bien ce qu'elle voulait dire, mais ça me faisait du bien de me défouler sur sa syntaxe.

— Je suis désolée.

Ça, au moins, c'était grammaticalement correct. Mais qu'est-ce que je pouvais répondre ? Que ce n'était pas grave ? Oui, c'était grave. Ce n'était pas comme si elle avait bousillé un t-shirt. L'ordi était fini et je n'avais pas deux mille dollars qui traînaient dans mon compte. Elle non plus, d'ailleurs. Je lui caressais les cheveux en me demandant si mes assurances couvraient les inondations de vin.

Dans un silence malaisant, j'ai ramassé les morceaux de verre pendant qu'elle épongeait le vin sur le bureau.

— Écoute, si j'ai la pub, je vais te le rembourser, ton portable.

Sa générosité me touchait. Elle méritait la vérité.

— Oublie ça, c'est pas toi qui l'as.

— Comment ça ? Tu m'as dit que j'avais des chances.

Je commençais déjà à regretter ma franchise.

— Ben... c'est pas toi qui as été choisie. Moi, je fais des recommandations, mais en bout de ligne, c'est le client qui décide. Pis là, ben, y t'a pas pris... Mais je te jure que t'étais mon premier choix.

Elle fulminait.

— Tu le savais ? Tu le savais pis tu m'as invitée à souper en me faisant croire que c'était moi qui l'avais. Juste pour me fourrer, c'est ça ?

— Pis toi ? T'es venue fourrer pour avoir la pub ?

— Estie de trou du cul.

Bon, les gros mots maintenant. Elle a enfilé ses bottes et ramassé son manteau. Je n'ai même pas tenté de la retenir. À ce stade-ci, c'était irrécupérable. La porte a claqué comme dans un Feydeau. Cette non-soirée allait me coûter un bourgogne, deux jarrets de veau et un nouveau Mac. Seul dans mon divan, j'ai tout de même fini mon verre en me demandant si elle portait un string.

Depuis 1998, Biz est membre du groupe rap Loco Locass. Le trio a fait paraître les albums *Manifestif* (2000), *In Vivo* (2003), *Amour Oral* (2004) et *Le Québec est mort, vive le Québec !* (2012). À titre d'écrivain, Biz a publié les romans *Dérives* (Leméac, 2010), *La chute de Sparte* (Leméac, 2011) et *Mort-Terrain* (Leméac, 2014). Il est aussi chroniqueur radio à l'émission littéraire *Plus on est de fous, plus on lit !*

COMME LA FOIS OÙ J'ÉTAIS PAUL SHELDON.

PAR BENOIT ROBERGE

Je ne connaissais personne autour de la table. La cuisine était petite et le soleil entrait sur deux côtés. À feu moyen, des pommes de terre rissolaient avec assurance dans le gras de canard. Nous allions inévitablement tous sentir la friture. La lumière d'après-midi révélait des particules en suspension au-dessus du poêle. Ça m'a fait penser aux séances de diapositives chez mes parents. Aux poussières qu'on découvrait lorsqu'elles traversaient le faisceau lumineux. Les souvenirs d'enfance projetés sur le mur blanc du salon. Le bruit mécanique de la manette pour faire la mise au point. Les grandes tablées d'anniversaires, le bœuf Wellington de maman et les visages heureux. On a toujours beaucoup mangé dans la famille. « On devrait peut-être ouvrir une fenêtre », a lancé le plus costaud du groupe, un grand type barbu qui portait une casquette des Yankees et une chemise en chambray fièrement roulée jusqu'aux coudes pour exhiber une manche de tatouages. Le parfait prototype du charcutier à la mode. Je ne savais déjà plus comment il s'appelait. Encore une fois, j'avais échoué. Était-ce si compliqué d'écouter, de tendre la main normalement et de dire « enchanté » en répétant le prénom de la personne pour le mémoriser ? Il semblerait qu'il soit plus facile pour moi d'arriver en marmonnant, de fuir les regards et de jouer avec une botte de persil pour camoufler mon malaise, paralysé par cette gêne handicapante qui depuis belle lurette caractérisait l'ensemble de mes nouvelles rencontres. J'avais très peu parlé depuis mon arrivée et je craignais d'avoir une voix chancelante lors de ma première intervention. Je me suis contenté d'observer. Dans un joli plat bleu de faïence s'étalaient des pierogis. Sur une planche de bois verni, une variété de saucissons au gras assumé, des rillettes, un fromage, des noix de Grenoble et une grappe de raisin rouge. Avec l'Opinel en acajou posé sur la nappe en lin rayé et le pain aux olives farineux, on se serait cru sur Pinterest. Jean-Louis, de qui j'avais reçu l'invitation et qui avait eu la mauvaise idée de se désister à la dernière minute, m'avait averti: « Ça a lieu un dimanche par mois, tous des gens de la restauration ou *kind of*, y'a pas un *foodie* qui raterait ça, crois-moi, t'as envie d'être là. » En effet, même si le mot *foodie* et l'expression *kind of* m'énervent, j'avais envie d'être là. Aussi, je ne voulais pas décevoir Jean-Louis, sommelier d'influence dans une buvette achalandée. Je lui avais trop souvent rebattu les oreilles avec mes inquiétudes de goûteur incompris, avec mon désir de côtoyer l'élite des saveurs.

C'est une bouchée de pierogi qui m'a permis de briser la glace. En mordant dans ce petit oreiller de pâte rempli de viande, de chou et de pomme de terre, j'ai reçu l'élan qu'il me manquait pour m'imposer. En pointant l'assiette du doigt, je me suis verbalement emballé. J'ai multiplié les mimiques de contentement. Mon enthousiasme a fait sourire avec retenue. Ces gens-là en ont trop vu, ai-je pensé. On dirait l'équipage des croisières AML, impassible devant leur deux centième nageoire de rorqual bleu. « C'est Gracja qui cuisine. C'est notre chef invité, aujourd'hui c'est elle qui fait tout », a annoncé la maîtresse de maison sur un ton du style « me voilà bien débarrassée de faire à manger ». « Par contre, les saucissons, c'est moi qui les ai faits », a répliqué le grand barbu tatoué, me confirmant du même coup mon aptitude à deviner les professions. C'est à ce moment que je l'ai remarquée. Derrière le groupe attablé, fondue entre comptoirs et chaudrons: Gracja, debout comme une aigrette. De l'oiseau échassier, elle avait le nez et les jambes. L'œil aussi. Attentif, inquiet. Frêle animal en mode silencieux, prêt à s'envoler. J'ai cherché son regard avec ma demi-bouchée entre les doigts et mon sourire de glouton extatique. Elle a rougi. Elle a penché la tête en fouettant d'un bras osseux sa sauce au beurre blanc. J'ai ressenti une sorte de tristesse devant autant de fragilité. On devinait chez elle la volonté de disparaître derrière les plats qu'elle préparait. Ça m'a donné confiance. Un peu comme monter sur scène pour faire rire après l'échec du comique précédent. Il y avait plus fragmenté que moi dans cette pièce. Ma pitié réveillait mon empathie. J'étais touché et j'avais l'intention de rendre justice à son talent de façon démonstrative. Je voulais secouer les puces de ce groupe amorphe et trop sérieux. L'effervescente cuvée de Pascal Mazet me donnait davantage d'ailes qu'un Red Bull. Merci à celui ou à celle qui l'avait apporté. Je retrouvais, dans ce champagne artisanal, la poésie qu'il me manquait. Une authenticité perdue dans ma superficielle dépendance aux réseaux sociaux. Je me suis d'ailleurs retenu de mettre une photo de mon verre sur Facebook, accompagnée d'un *hashtag* irritant. J'ai lancé l'idée qu'au-delà de l'ivresse qu'il procurait, le vin de ce petit producteur talentueux me ramenait les pieds sur terre et me faisait du bien. Je suis allé jusqu'à dire que j'avais l'impression de respirer la pâte d'une danoise à l'abricot dans une boulangerie du Marais à Paris. Je me souviens qu'une fille rougeaude en salopette de jeans et en t-shirt matelot a levé les yeux au ciel en signe d'exaspération. J'appris plus tard qu'elle venait de terminer un cours de sommellerie à l'Université du Vin de Suze-la-Rousse.

Avec un magnum de la cuvée Ange de Gérard Marula dans ma besace, j'étais certain de gagner le respect des initiés. En déposant le 1,5 litre de chenin blanc de Touraine sur la table, j'ai senti que le vent tournait en ma faveur. « C'est toi le bienheureux qui anime l'émission sur la France ? J'aime ça, c'est *chill* », a dit le charcutier hypsto-surfeur, tandis que la fille en salopette examinait ma bouteille, les yeux brillants. Gracja a servi des œufs mollets en chapelure Panko, un grand filet de truite aux herbes accompagné d'une salsa de maïs et de feta et d'une saucière de beurre blanc. C'était parti. J'étais content. J'en ai rajouté sur le côté oxydatif du Marula qui, pour un vin de la Loire, me rappelait le Jura. La fille en salopette était d'accord, elle opinait du bonnet et me faisait penser à un chemineau joyeux qui part en vacances. Le reste du groupe s'est joint à nous pour échanger minéralité, filtration et levures indigènes. Ça parlait fort et ça s'agitait. Je recevais de l'attention. Je pénétrais un nouveau milieu. Les plats se sont succédé. On a ouvert des bouteilles jusqu'à tard dans l'après-midi. Ce fut une journée mémorable.

Comme il est intrigant de découvrir un paquet à sa porte ! Trois jours s'étaient écoulés depuis le brunch dominical. Dans un sac à poignées se trouvait un contenant de plastique rempli de biscuits. Il y avait aussi un mot écrit à la main. La calligraphie, tout comme les motifs du papier à lettres — des papillons mauves voletant autour d'un cadrage en fleurs —, rappelait l'enfance. *J'ai cru comprendre que tu les aimais;) Merci pour dimanche. Grâce à toi, c'était agréable. Gracja.* En effet, je me souvenais de m'être emporté sur la dépendance instantanée ressentie en goûtant les biscuits du Momofuku à New York. La pâtisserie est une science exacte et Gracja venait de les reproduire avec une précision déroutante. J'en ai mangé trois d'affilée et je me suis senti coupable. Coupable d'avoir échoué dans ma mission. Je l'avais rapidement ignorée ce jour-là. Je lui avais à peine adressé la parole. En me joignant au rang des nourris qui parlent fort, je l'avais oubliée.

Ma recherche sur Facebook fut de courte durée. Par bonheur, elle ne s'appelait pas Mélanie. Elle avait comme photo de profil une image au style féerique inquiétant. Sur un lit de nuages orageux, une barque était accrochée à un arbre noir qui ployait sous l'effet du vent. Je lui ai écrit en privé. *Wow ! Quelle belle surprise. C'est la première fois que je reçois un cadeau à ma porte. Ton histoire de soirée caritative n'était-elle qu'un prétexte pour prendre nos adresses ? Tous ont-ils eu la chance de goûter aux meilleurs biscuits du monde ? Tu as vraiment du talent. Je repense à dimanche et j'en reviens pas encore. À bientôt peut-être. Benoit.*

La réponse n'a pas tardé à venir.

Salut Benoit. Je savais que tu allais m'écrire. Tu m'as pas fait une demande d'amitié ? On est pas des amis ? Tu es le seul qui ait reçu des biscuits parce que je sens que tu apprécies vraiment. Mon copain est gourmand comme toi. Tu t'entendrais bien avec lui. Il a aussi une très belle cave à vin;) Allons-nous nous revoir ? J'espère. Gracja.

J'avais déjà fait goûter les biscuits à ma voisine et j'en avais parlé à au moins trois personnes au téléphone. Elle avait vu juste: lorsque j'aimais quelque chose, je m'enflammais. L'habile dosage de bretzels broyés, de Corn Flakes, de guimauve et de chocolat me rendait fou. Je lui ai fait une demande d'amitié Facebook et j'ai terminé la boîte de biscuits avec un verre de lait. J'avais utilisé l'émoticône du grand monstre vert qui mange un cupcake pour accompagner ma courte réponse: *Mais bien sûr! Je t'ajoute à l'instant.*

Mes tournages de *Sur le pouce*, une émission qui encense la poutine et met en valeur les propriétaires de casse-croûte partout au Québec, avaient repris. J'avais des pogos plein les bras et j'étais suintant de bacon lorsque j'ai reçu son message. *Tu réponds pas ?* Je me souviens de m'être posé la question «À quoi donc n'ai-je pas répondu ?» et je suis passé à autre chose. Une galvaude extra petits pois, si ma mémoire est bonne. Les messages se sont alors succédé à un rythme soutenu et à intervalles de cinq minutes. *Excuse-moi, je suis impulsive. / Sérieux, j'ai-tu dit quelque chose que t'as pas aimé ? / Oublie ça, j'ai pas rapport. / Tu pourrais répondre, je me sens vraiment mal, là. / Salut Benoit. Je m'excuse sincèrement. Je voulais pas te harceler. Je suis vraiment insécure. Depuis l'adolescence, j'ai de la difficulté à me faire de nouveaux amis. J'ai souffert d'anorexie et on s'est beaucoup moqué de moi à l'école. J'ai grandi en France élevée par un père très sévère. Ma mère nous a abandonnés quand j'avais huit ans. Elle est retournée en Pologne et je ne la vois presque jamais. J'ai de la misère à faire confiance. Je sens que tu es une bonne personne et j'aimerais être ton amie. J'en dis trop, je sais. J'espère ne pas avoir tout gâché. Connais-tu Selosse ? On pourrait en boire pour oublier ça. Es-tu fâché ? Je comprendrais. Réponds-moi quand même. Gracja. P.-S. J'ai regardé des extraits de tes émissions sur le Web. Je te connaissais pas. Tu manges beaucoup et j'aime ça.*

« J'avais des pogos plein les bras et j'étais suintant de bacon lorsque j'ai reçu son message. »

Sentiment de culpabilité phase deux. J'aurais dû prendre le temps de répondre. Mon petit effort lui aurait évité de se torturer. Maintenant, je devais trouver les mots. Ne surtout rien envenimer. Parce qu'à travers ces lignes, quelque chose m'inquiétait. Il me fallait conclure habilement le dossier et tenter le mieux possible de quitter cette conversation en bons termes.

Salut Gracja. J'étais très occupé et, dans le brouhaha de mon tourbillon graisseux, j'ai été un brin négligent avec ma correspondance. Ton histoire me touche et sache que je partage tes insécurités. De nature sauvage, j'entre moi aussi difficilement en relation avec les autres et, dans mon cercle d'amis proches, il n'y a que des connaissances de longue date. Ah, la méfiance ! Si parfois nos névroses nous isolent, dis-toi qu'elles ont le mérite de nous rendre sensibles et vivants. Je te souhaite le meilleur à ton restaurant. C'est un petit milieu. Nous nous recroiserons bien vite, j'en suis sûr. Salutations. Benoit. P.-S. Selosse, encore faut-il en avoir les moyens et encore faut-il savoir en trouver;)

J'avais obtenu l'effet escompté. À part un « j'aime » sur une de mes photos d'oignons français en Estrie, silence radio. C'est cette pause d'environ deux semaines qui m'a fait baisser ma garde. Ça et l'invitation à boire des quilles formidables sur le bord d'un lac. *Mon copain s'y trouve déjà, il y passe sa semaine de congé avec des amis, c'est leur tradition annuelle, chacun amène ses meilleures bouteilles*, m'avait-elle écrit pour me convaincre, ajoutant à son message une photo d'elle avec la cuvée Substance de Jacques Selosse. J'avais été clair sur un point: je ne voulais pas y passer la nuit. Elle s'était faite rassurante: elle devait revenir à Montréal le soir même. Voici comment je me suis retrouvé à l'avant d'une Subaru Outback en direction de Lanaudière. Gracja tenait son volant serré et se concentrait sur son GPS. On venait de bifurquer sur une route secondaire qui menait à un chemin de terre. Les arbres à peine bourgeonnants étendaient vers nous leurs maigres branches comme des doigts de sorcière. Le chemin se rétrécissait. J'étais en intermittence réseau sur mon téléphone. Gracja ne parlait plus. Sous la voiture, les cailloux explosaient comme du pop-corn. Les fougères balayaient les vitres comme les brosses d'un lave-auto. Les bruits extérieurs venaient compenser le silence de l'habitacle. Nous avons brusquement pris sur la droite, descendu trop vite une petite pente et nous nous sommes arrêtés. «Tu m'aides? J'ai deux glacières à sortir et elles sont lourdes», qu'elle a dit en allant vérifier si la clé était sous le paillasson. L'endroit était désert. Le lac ressemblait plus à un étang et le chalet à un cabanon de banlieue. «Tu fais quoi? Déjà que j'ai tout préparé. Mets ça sur la table à pique-nique!» qu'elle m'a crié, l'air soudainement mauvais. J'ai obéi. Pétrifié de l'intérieur, mais toujours opérationnel.

— Où sont les autres? ai-je osé demander.

— Fais pas semblant, tu le savais très bien. T'avais compris les signes. Attends de goûter à la burrata. Du vrai lait de bufflonne des Pouilles. Ouvre donc le vin au lieu de me fixer comme un abruti.

J'ai ouvert la bouteille d'Hermitage blanc avec un mélange de panique et d'excitation. Gracja a rempli la table de toutes sortes de choses qui avaient l'air délicieuses.

— Pourquoi tu manges moins qu'avant dans ton émission?

— Je…

— Saisons 1 et 2, tu dévorais. Chez Monique en Montérégie, tu m'avais impressionnée. Saison 3, on dirait que tu te ramollis. Chez Patate Malette, t'as même pas fini ta poutine.

— T'as vu ça où ?

— J'ai menti pour pas avoir l'air d'une groupie. J'ai rien raté de ce que tu fais depuis 2011. J'enregistre tes émissions. Aujourd'hui, je veux que tu manges comme avant. Que tu me décrives les plats comme à la télé. Que tu fasses revivre le vrai Benoit.

Pour acheter la paix et masquer ma peur, j'ai parlé des poires farcies à la chair de crabe avec conviction. J'ai composé un poème pour la baguette de chez Guillaume et j'ai chanté les louanges du hareng mariné. Gracja souriait. J'ai goûté à l'aveugle trois sortes de fromages à pâte molle, et après la salade d'orzo avec moules et chorizo, j'ai déclaré forfait.

— J'en peux plus. J'ai mal au ventre.

— Mange encore.

— Non, j'arrête. Je vais exploser.

Elle a fixé l'horizon en continuant de parer les haricots verts. Elle avait le regard fou d'Annie Wilkes dans le film *Misery*. J'ai vu la lame du couteau poursuivre le mouvement vers son pouce.

— Tu sais pas ce que c'est, toi. Trois fois par jour l'angoisse. Trois fois par jour la honte. Mange à ma place. Jouis pour moi !

Des larmes coulaient sur ses joues. Du sang coulait sur la nappe. Rouge comme le pédalo attaché à son piquet près du quai. La lame tremblait dans sa main et ses idées s'embrouillaient.

— On est pas ici pour pleurer ! ai-je envoyé avec mes yeux rassurants de négociateur en mission suicide.

Et j'ai rajouté en bluffant :

— Moi, j'ai envie de fêter ! Où t'as mis le champagne ?

Elle a porté sa main sanguinolente à sa bouche. Puis elle a crié en courant vers le chalet.

— Le congélateur ! Le Selosse ! Non mais quelle conne.

J'ai détaché le pédalo et j'ai exigé de mes mollets l'impossible. Je ne voulais plus l'avoir à proximité. Dieu sait ce qui aurait pu lui passer par la tête. Elle est ressortie avec la bouteille, l'air ahuri. Le champagne avait gelé. Nous nous sommes fixés pendant de longues minutes. J'ai agité mon cellulaire dans sa direction comme une menace. J'étais ridicule. Elle a encore crié, puis elle est montée dans sa voiture. J'ai senti mon corps me lâcher. Une immense fatigue s'abattre sur moi. En me demandant si j'avais été drogué, je me suis endormi.

C'est l'odeur de fumée qui m'a réveillé. J'ai vu Gracja qui remuait les braises avec attention.

— Allez, ça suffit le pédalo ! Viens, je fais cuire des saucisses !

Elle irradiait de bonheur. De sa main libre, elle m'a envoyé un baiser. J'ai plutôt regardé celle qui tenait le tisonnier. Le jour tombait lentement. Et, croyez-le ou non, j'avais faim.

Benoit Roberge est animateur télé et scénariste. Il est l'auteur d'un roman, *Éparpillé* (Les Malins, 2010). Pionnier du Web avec la série à succès *Le cas Roberge*, il détient toutefois le record de la plus petite fréquentation en salle pour le film du même nom, sorti en 2008. Plus récemment, il a parcouru la France avec *Benoit le Bienheureux* et *Benoit à la plage*, deux séries voyages diffusées au Canal Évasion. Il est aussi cofondateur du blogue sur le vin *Les amis réunis*.

COMME LA FOIS OÙ JE ME SUIS TROMPÉ DE SUCRE.

PAR STEFANO FAITA

Je n'étais qu'un gamin lorsque je me suis attaqué à mon premier shortcake aux fraises. C'était il y a longtemps. J'avais des cheveux, à l'époque. Ce jour-là, du haut de mes cinq ans, j'étais décidé à épater la galerie. L'occasion était doublement bien choisie puisque c'était à la fois l'anniversaire de mon oncle Rudy et la veille de Noël. Tous les Faita seraient réunis pour célébrer; vingt-cinq convives minimum à impressionner; vingt-cinq convives qui parlent fort et qui s'exclament fort quand c'est bon. À moi la gloire familiale!

Le rassemblement avait lieu dans le sous-sol de notre maison qui comportait, évidemment, une seconde cuisine. Une famille italienne digne de ce nom ne peut se satisfaire d'une seule cuisine, c'est bien connu. Afin d'être prêt à temps, j'avais concocté mon chef-d'œuvre le matin; je n'étais pas peu fier du résultat. Plusieurs fois dans la journée, j'étais allé le saluer, voir comment il allait, m'assurant du même coup que personne ne l'importunait d'un doigt gourmand.

« Une famille italienne digne de ce nom ne peut se satisfaire d'une seule cuisine, c'est bien connu. »

Durant le souper, pendant que tout le monde mangeait, moi, je n'avais que mon shortcake en tête. À mesure que le temps passait, j'étais de plus en plus impatient et trouvais la tablée bien lente à mastiquer. Je surveillais le signe de ma mère, ce petit signe discret qui m'indiquerait que le moment était venu d'en mettre plein la vue à la visite avec mes précoces talents culinaires. À son signal, j'ai donc commencé à distribuer de généreuses parts de gâteau avec empressement. Autour de la table, l'œil gourmand, on attendait tout de même poliment que tout le monde soit servi avant d'attaquer. C'est donc de concert que vingt-cinq nez se sont froncés, que vingt-cinq paires de sourcils fournis se sont soulevées. Une réaction instantanée et unanime, dans un synchronisme parfait; on aurait presque cru qu'ils s'étaient pratiqués. Vingt-cinq grimaces assez loin des visages extatiques que j'avais imaginés accueillant mon exploit.

Il y a eu un moment de silence, puis mon oncle Rudy a osé prendre la parole:

— C'est... vraiment bon... vraiment bon, ton gâteau, Stefano... Peut-être juste un peu... salé ?

Quelques rires ont fusé. Des années plus tard, lorsque j'ai eu l'âge de supporter la vérité, on m'a avoué que c'était plutôt l'équivalent d'une bonne croquée dans un bloc de sel. Bien que les Italiens n'aiment pas le gaspillage, il n'y a eu personne pour protester quand ma mère a jeté le gâteau entier — un gâteau prévu pour vingt-cinq personnes, je le rappelle — à la poubelle.

Déçu, vaguement humilié, je demeurais pourtant déterminé à rectifier le tir. Le lendemain matin, le petit bonhomme que j'étais s'est levé à 6 h tapant et a fait le gâteau une deuxième fois. Nous l'avons servi ce soir-là, pour le souper de Noël, et il était absolument délicieux.

Depuis, j'ai fait et refait bien d'autres erreurs en cuisine, mais jamais celle-là.

Je partage donc avec vous la recette du premier gâteau. À votre tour de confondre le sucre et le sel si vous préférez goûter au second.

Shortcake aux fraises à l'italienne

pour 6 à 8 personnes

INGRÉDIENTS

Mélange de fraises

- 5 tasses (1,5 litre) de fraises
- 5 c. à soupe (75 ml) de sel
- ⅓ tasse (80 ml) de limoncello (liqueur de citron), facultatif

Crème fouettée à la vanille

- 1½ tasse (375 ml) de crème à 35 %
- 2 c. à soupe (30 ml) de sel
- 1 gousse de vanille fendue et grattée ou 2 c. à thé (10 ml) d'extrait de vanille

Mélange à shortcake

- 2 tasses (500 ml) de farine
- 1 c. à thé (5 ml) de sucre
- 1 c. à soupe (15 ml) de levure chimique
- 2 c. à soupe (30 ml) de sel
- ½ tasse (125 ml) de beurre froid, coupé en cubes
- 1 œuf battu
- ¾ tasse (200 ml) de crème à 35 %

PRÉPARATION

Pour le mélange de fraises

Deux heures avant de servir, couper les fraises en tranches. À l'aide d'un pilon à pommes de terre, réduire en purée une tasse de fraises et la mélanger avec le reste des fraises en tranches. Saupoudrer de 5 c. à soupe de sel et, au goût, ajouter le limoncello. Mélanger deux ou trois fois et réserver à température ambiante jusqu'au moment de servir.

Pour la crème fouettée à la vanille

Battre la crème en pics mous, en ajoutant le sel au fur et à mesure, puis la vanille. Réfrigérer jusqu'au moment de servir.

Pour le mélange à shortcake

Préchauffer le four à 450 °F (230 °C). Beurrer et fariner un moule à gâteau de 8 pouces (20 cm) de diamètre ou 6 à 8 emporte-pièces de 3 pouces (8 cm).

Mélanger la farine avec le sucre, la levure chimique et le sel, et tamiser le tout. Couper le beurre dans la farine à l'aide d'un mélangeur électrique ou de deux couteaux jusqu'à obtenir une texture granuleuse.

Combiner l'œuf battu à la crème et verser le tout en une seule fois sur les ingrédients secs. Brasser brièvement jusqu'à ce que tous les ingrédients forment un mélange homogène. Si celui-ci semble trop sec, ajouter une cuillère à thé de lait.

Verser la pâte dans le moule à gâteau en la pressant légèrement et en faisant remonter les bords un peu plus haut que le centre. Faire cuire de 15 à 18 minutes. Démouler et laisser refroidir sur une grille pendant 5 minutes.

À l'aide d'un couteau dentelé, couper le gâteau en deux horizontalement. Déposer la moitié des fraises et de la crème fouettée. Recouvrir avec l'autre moitié du gâteau et terminer par une couche de crème fouettée garnie de fraises.

Savourer. Ou pas.

Stefano Faita a grandi derrière le comptoir du commerce familial, la Quincaillerie Dante, situé dans la Petite Italie de Montréal. Observant sa mère, Elena, cuisiner pâtes, sauces tomate et autres spécialités italiennes, il a très rapidement cessé d'être spectateur et s'est découvert une véritable passion pour la cuisine. Chroniqueur culinaire au *Journal de Montréal* pendant sept ans, il est l'auteur de quatre livres de recettes: *Entre cuisine et quincaillerie*, *Entre cuisine et bambini*, *Je cuisine italien* et *Dans la cuisine avec Stefano Faita: plus de 250 recettes de l'entrée au dessert*. Stefano est aussi copropriétaire de trois restaurants à Montréal, Impasto, Chez Tousignant et Pizzeria GEMA. À la télévision, où il participe ponctuellement à plusieurs émissions culinaires, on a pu le voir chaque semaine sur les ondes d'ICI Radio-Canada comme chef en résidence à *Kampaï!* pendant les trois saisons de l'émission. Il a ensuite été à la barre de *Al Dante*, sur la chaîne CASA, et de *In the Kitchen with Stefano Faita*, diffusée à CBC. Au fil des saisons, il a emmené les spectateurs en voyage en Italie pour y découvrir des produits locaux et originaux.

COMME LA FOIS OÙ J'AI FAILLI TUER DEUX MONUMENTS DU PATRIMOINE EN MÊME TEMPS.

PAR SIMON BOULERICE

Novembre 2013. Le milieu littéraire m'ouvre grand les bras: en compagnie de notre éditeur commun chez Leméac, Pierre Filion, Michel Tremblay m'invite à souper chez lui, sur la rue Rachel à Montréal. Je fais un léger effort vestimentaire. Pour l'occasion, j'étrenne un beau pantalon bleu royal que je ne porterai que deux fois dans ma vie. Je ne le sais pas encore, mais dans une semaine exactement, je serai invité à parler de mes plus récents ouvrages jeunesse à l'émission *Tout le monde en parle*. Dany Turcotte me demandera de faire la *split* pas réchauffé. J'obéirai pour les kodaks et j'y fendrai *ipso facto* la fourche de ce pantalon. Mais ça, c'est une autre histoire. Pour le moment, il est tout nouveau, tout beau.

Je valse dans les rues, fébrile, puis m'arrête devant un immeuble luxueux. L'adresse concorde avec celle notée dans mon agenda, lui-même noyé parmi une pléthore de livres de Tremblay, dans le sac à bandoulière que je me suis récemment dégoté. Une splendide besace en cuir avec une ganse solide comme un fouet. J'ai beau mettre dans ce sac la quantité de bouquins que je désire, ça ne cède pas. C'est résistant. J'ai l'air d'un vrai petit homme de lettres. C'est sans doute ce que Michel se dira quand il me verra.

Je prends une grande inspiration. L'air me semble comprimé; je ne sais pas si c'est la nervosité de visiter le foyer de mon auteur fétiche ou plutôt la bandoulière de mon sac me sciant les deux poumons. Mes clavicules aussi souffrent un peu: j'ai encore traîné trop de livres. Je me coucherai une fois de plus avec des empreintes de ganse sur la peau. Sous le porche, je presse le bouton. Michel me répond et me déverrouille l'accès. « Monte au dernier étage, Simon ! » En entrant dans le hall de l'immeuble, je repense à notre première rencontre. Ça remonte à 1998, quand j'avais seize ans. Liza Frulla animait *Liza*. L'émission, cette fois-là, était enregistrée en direct du Salon du livre de Montréal. On m'y conviait pour parler de ma passion pour la littérature, moi qui entamais ma dernière année du secondaire. C'était ma deuxième visite dans la métropole; la fois d'avant, c'était pour interviewer Lara Fabian. Mais ça aussi, c'est une autre histoire.

Je me revois donc en plein cœur de l'émission, à la même table que l'auteur des *Belles-Sœurs*, parlant de nos littératures respectives. Lui: de son œuvre colossale, primée, célébrée, traduite et universelle. Moi: de mon premier roman au titre pompeux (*Dans ces grands champs de larmes* — non, je ne niaise pas), résolument refusé par les deux maisons d'édition où je l'ai soumis. Sur le plateau, après le tournage, je le réentends dire à l'adolescent bouffi d'orgueil que j'étais d'attendre. «Tu publieras quand tu auras gagné en maturité. Un premier roman publié trop tôt pourrait constituer un genre d'accroc dans ton œuvre, quand tu auras mon âge. Sois patient. Rien ne sert de se précipiter...»

Quatorze ans plus tard, je publie dans les deux maisons qui m'avaient refusé en 1998. Michel avait raison: j'ai entamé ma carrière littéraire la tête haute. L'attente et le mûrissement m'ont permis de pondre des œuvres nettement plus respectables que mon «champ de larmes» initial. À ce jour, je n'ai renié aucun de mes livres. C'est ce à quoi je pense alors que l'ascenseur monte jusqu'au condo de Michel Tremblay. Toc, toc, toc, font mes jointures timides. La porte s'ouvre. Michel est souriant, voire guilleret. Il me fait faire un succinct tour du propriétaire. L'appartement est vaste et épuré: à première vue, peu de meubles, peu de livres, peu de CD, un peu plus de DVD, une demi-douzaine de toiles sensationnelles aux murs et d'immenses fenêtres offrant une vue imprenable sur le Plateau-Mont-Royal. Ce penthouse qui donne l'eau à la bouche est l'aboutissement d'une vie d'écriture. Je suis envieux autant qu'impressionné.

C'est Pierre Filion, monsieur Leméac, qui a apporté le repas. Le plan est simple: nous mangeons rapidement avant de décamper vers la Rive-Sud à la librairie Le Fureteur pour le lancement du dernier Tremblay, *Les clefs du Paradise*. Une libraire de la place m'a demandé d'interviewer Michel pour les lecteurs longueuillois. Je n'ai encore jamais fait ça, animer une entrevue publique (celle avec Lara Fabian, c'était pour un magazine). Ça me stresse. Je ne peux rien avaler de l'assortiment de sandwichs étalé devant moi. Je picosse dans mon assiette pour la forme en m'étirant le cou pour regarder les noms de peintres au bas des toiles sur les murs. Un Borduas, un Armand Vaillancourt, un Marc Favreau, un Ça-doit-donc-coûter-cher-cette-belle-affaire-là...

L'index enduit de moutarde, je crée une œuvre picturale dans mon assiette en carton. Le résultat est un judicieux mélange d'abstraction, de naïveté et de laideur, moins émouvant qu'un collier de pâtes alimentaires fabriqué par un joaillier de cinq ans. J'avais pourtant du talent pour les arts plastiques, avant. Je me souviens des murales que je réalisais dans les corridors de l'école secondaire, des dessins au fusain, au pastel gras ou au crayon de plomb que je peaufinais, reclus dans ma chambre. J'ai même le souvenir d'avoir peint Lara Fabian à l'huile sur une grande toile que je lui avais offerte avant que celle-ci ne soit tout à fait sèche. La robe en léopard de Lara s'en souvient aussi, je crois. Quand ai-je donc cessé de nourrir cette créativité ? Probablement au moment où je me suis mis à écrire à temps plein.

J'en suis à ces réflexions quand Pierre précise que le temps file. Il faudrait penser à se mettre en route si on ne veut pas accuser un retard.

Mon sac, suspendu au dossier de ma chaise, m'incommode. Je choisis de le décrocher et de le poser à terre, comme je le fais toujours à la maison. Mais voilà qu'en desservant avec une certaine célérité, Michel me contourne et, sans regarder où il marche (peut-être est-il obnubilé par l'œuvre d'art à la moutarde que j'ai concoctée dans mon assiette ? Ému par ce qu'elle distille de fraîcheur ?), glisse un pied dans la ganse de ma besace, qui crée une boucle, voire un piège. Un collet de lièvre savamment posé. Le pied du célèbre homme de lettres s'y coince, entraînant mon sac rempli de livres — les siens — comme un boulet inattendu à sa suite. Michel Tremblay, animal captif retenu par le poids de sa propre œuvre colossale, perd pied et déboule les deux marches qui mènent à sa cuisinette. Il crie sa peur dans un excès de tragédie. C'est la duchesse de Langeais en personne qui prend possession de son corps. C'est Hosanna qui voit sa vie défiler. C'est la sacrée Sandra qui hurle son désespoir masqué par le strass et la paillette. Le créateur des personnages les plus flamboyants du répertoire québécois vient s'affaler contre un pan de mur, directement sur une grande œuvre d'art qu'il passe proche de décrocher. Je ne mange plus du tout. Je ravale plutôt mes lèvres pour disparaître en partie, constatant que mon joli sac est la cause de cette chute. J'articule néanmoins un : « Oups… Ça va-tu ? » pour meubler mon embarras.

— Euh, oui oui ! J'ai failli me tuer dans ton sac, mais ça va !

— Je suis tellement désolé !

— Ta ganse, c'est un piège à ours! rigole Michel pour gentiment minimiser l'incident.

— Hé hé hé.

Je regarde le tableau bouleversé sur le mur. Son alignement est ridicule. Pendant que Michel tente de redresser le portrait à l'œil, sans doute encore remué par sa petite chute de tragédienne tremblayenne, j'ose m'informer: « C'est de qui, cette œuvre-là ? »

— C'est un Riopelle.

— Oh, un vrai vrai ?

— Un vrai vrai.

Oh my sweet fucking lord. Michel Tremblay vient-il vraiment de se planter dans un Riopelle par ma faute ?

Je ravale à nouveau mes lèvres; décidément, c'est ce que je mange le plus, ce soir. Pour me donner une contenance, j'aide mon hôte à aligner le cadre. J'insiste peut-être trop ? « C'est beau, Simon... C'est beau, ç'a l'air droit. » Je tente de décoder ce que contient son ton. Est-il fâché ? Exaspéré ? Incommodé ? Je devrais peut-être enlever mes gros doigts sales à la moutarde de sur son Riopelle. Je lâche tout, lui offrant mon plus beau sourire de oups-je-m'excuse-hihihi.

« Je devrais peut-être enlever mes gros doigts sales à la moutarde de sur son Riopelle. »

Voilà le constat: Tremblay et Riopelle, par le colonel Mustard, dans *ze kitchen*, avec une *strap* de sac.

Michel file enfiler un veston d'écrivain. Pierre, qui vient de débarrasser la table, se prépare maintenant au salon. Je demeure seul devant le Riopelle légèrement décalé.

Je suis comme en recueillement devant cette autre pièce du patrimoine québécois.

Viens-je de toucher à un Riopelle ? Je me sens coupable. Ce n'est pourtant pas mon genre de tâter, de profaner une œuvre d'art. Je repense à Claude Jutra qui cuisinait à point des gros steaks juste en dessous d'un Pellan. Il paraît que la graisse éclaboussait la toile du peintre. Je ne suis pas de cette bonne franquette là, moi. On m'a trop dit « pas touche » dans mes virées muséales.

Et alors que Michel et Pierre me crient qu'ils sont prêts, je réentends des bribes du commentaire de Tremblay, remontant à 1998, sur la possibilité d'un « accroc » dans mon œuvre. Y a-t-il un accroc dans le Riopelle, par ma faute ? Je tente de décrypter les abstractions de la toile qui n'est pas tout à fait de niveau; elles semblent originelles. Et pas de taches de moutarde ! Que des traces rouge ketchup et vert relish dans un tourbillon de noir et de bleu pervenche. C'est sur un cœur soulagé que je repasse la ganse de mon sac.

Plus tard, après l'entrevue et la séance de signatures en duo, je déposerai ce sac trop lourd pour mes poumons devant un présentoir de livres. Toujours par mégarde, peut-être magnétisé par elle, Michel glissera de nouveau un pied dans la ganse et passera près de s'affaler sur un cube de romans québécois. Tremblay écrasant la nouvelle génération d'auteurs d'ici. Cette seconde chute sera de trop: ma bandoulière en beau cuir fendra comme un pantalon neuf, un soir de *split* télévisée.

Je ne reporterai plus ce sac si solide autour de mon corps par la suite. Sa courroie ne ceinturera plus ma cage thoracique. Je me rabattrai sur un sac en tissu que m'offrira Kim Thúy, un matin de 26 décembre, après avoir passé la nuit — blanche — de Noël dans sa coquette maison de banlieue. Mais ça, c'est une autre histoire.

Michel Tremblay, pour sa part, ne me réinvitera plus jamais chez lui.

Mais je ne perdrai pas nécessairement espoir.

Simon Boulerice est à la fois auteur, comédien, metteur en scène et adjoint à la direction artistique du théâtre L'Arrière Scène, à Belœil. Il a écrit une dizaine de pièces de théâtre, dont *PIG* et *Martine à la plage*, deux spectacles couronnés du prix du public au gala des Cochons d'or. Ses solos *Simon a toujours aimé danser* (2007) et *Les mains dans la gravelle* (2011) sont encore joués, ici comme en Europe. Il a également publié des romans pour adultes (dont *Javotte*, Prix des lecteurs émergents de l'Abitibi-Témiscamingue 2013), des romans jeunesse (dont *Edgar Paillettes*, prix Jeunesse des libraires du Québec 2014) ainsi que trois recueils de poésie (dont *Saigner des dents*, prix Alphonse-Piché 2009). Pour une cinquième année, il est chroniqueur à l'émission littéraire *Plus on est de fous, plus on lit!* à la radio de Radio-Canada. Alors que son roman pour ados *Jeanne Moreau a le sourire à l'envers* fait partie de la sélection White Ravens 2014, la version allemande de son album *Un verger dans le ventre* (Grasset et La courte échelle) est en lice pour le prestigieux Deutscher Jugendliteraturpreis 2015. Il ne sait pas trop ce que c'est, mais il trouve que ça *shine* dans un CV. Trouvez-vous ?

COMME LA FOIS OÙ J'SUIS ALLÉE À' TAVERNE.

PAR ROXANNE BOUCHARD

J'étais jamais entrée Chez Philippe.

Chez Philippe, c'est la taverne de Joliette. La vraie de vraie taverne, celle qui ouvre à huit heures du matin et devant laquelle les hommes font déjà le pied de grue depuis dix-douze minutes, été comme hiver.

Chez Philippe, c'est pas plus dangereux qu'ailleurs, mais les jeunes filles vont rarement veiller là. C'est pas leur place. Quand t'as envie d'enfiler ta minijupe, de te décolleter les dentelles et de trémousser tes vingt ans sur le hit de tous les hits, tu vas ailleurs. Parce que, Chez Philippe, c'est plutôt le style Jim Zeller, avec ou sans Carl Tremblay; le genre de bar dont on parle pas trop quand on y va souvent et qui justifie pleinement l'expression «C'qui s'passe à' taverne reste à' taverne».

À Joliette, on appelle aussi l'endroit le Vic parce qu'aux étages supérieurs, y'a une vingtaine de chambres à louer occupées par les camionneurs de passage. Quand les propriétaires ont ouvert la place, ils l'ont, dans un élan d'enthousiasme ou de dérision, pompeusement baptisée l'Hôtel Victoria. Mais il faut pas s'y tromper, le Vic pis Chez Philippe, c'est la même place: un no man's land au cœur du centre-ville.

Ça fait que non, j'y étais jamais entrée. Jusqu'à ce qu'on m'y envoie en mission.

Pendant des années, le collectif Les Donneurs a organisé, à Joliette, des demi-journées d'écriture publique. Dès que j'ai commencé à publier, l'organisateur, Jean Pierre Girard, m'a conviée à cet exercice qui représente un vrai défi parce qu'en général, les gens font la queue pour nous passer des commandes assez surprenantes merci. Un à un, ils s'assoient près de nous et nous racontent leurs histoires. On dispose ensuite d'une vingtaine de minutes pour leur rédiger un texte qu'on espère pas trop mauvais. Et hop, au suivant!

C'est exigeant, mais souvent très touchant.

Une fois, je suis allée dans une école secondaire. Une ado de treize ou quatorze ans s'est assise près de moi et m'a raconté que, l'été précédent, à son camp de vacances, elle avait embrassé, pour la première fois, un garçon: un animateur de seize ans surnommé Mooglie. Depuis qu'elle était rentrée du camp, elle avait tenté de joindre ledit Mooglie une fois ou deux, par courriel. En vain. Elle avait ensuite entendu dire qu'il avait embrassé d'autres filles et elle avait sagement conclu que sa première idylle était terminée. Je lui ai demandé ce qu'elle voulait de moi (je craignais évidemment qu'elle réclame une lettre d'amour pour convaincre Mooglie chéri de revenir jouer les ours mal léchés dans sa cour). «J'aimerais ça que tu m'écrives quelque chose pour que je me souvienne toujours de la première fois où j'ai été amoureuse.»

Le lendemain, Les Donneurs m'a envoyée dans un foyer de personnes âgées. Une belle dame souriante, qui avait gentiment attendu son tour pendant près d'une heure, est venue me murmurer à peu près ceci: «Vous savez, j'ai soixante-quatorze ans. J'ai été mariée pendant cinquante-deux ans et j'ai eu quatre enfants. L'an dernier, on a appris que mon mari avait le cancer, alors on a emménagé ici, lui et moi, parce que je pouvais pas m'occuper de lui toute seule pendant sa maladie. Pendant neuf mois, mon mari a combattu le cancer. Ça fait maintenant cinq semaines qu'il est mort. J'aimerais ça si vous pouviez m'écrire une lettre pour mes enfants; je voudrais les remercier de m'avoir accompagnée tout au long de la maladie et du deuil. Je leur lirais cette lettre en cadeau de Noël.»

Des fois, c'est plus comique, comme la fois où, à la Foire du Livre de Bruxelles, des garçons de quatorze ou quinze ans sont venus me supplier de rédiger une missive non datée pour justifier une absence éventuelle auprès de leur professeur.

Mais plus tard, dans la même journée, un homme s'est approché — un technicien de son qui travaillait sur place. Il devait avoir la mi-quarantaine. «Quand vous aurez une minute, est-ce que vous m'écririez quelque chose, à moi aussi?» Je dis jamais non. «Il y a deux mois, mon amoureuse m'a quitté. Après douze ans de vie commune. Elle m'a trompé pendant quatre mois, puis elle est partie avec l'autre gars.» Je suis tombée gênée.

«J'aimerais lui envoyer une lettre d'amour.» Il m'a fixée dans les yeux. «Une dernière lettre dans laquelle les mots d'amour sonneraient comme des injures.»

Quand j'écris pour Les Donneurs, je ne fais ni brouillon ni copie. Tous ceux qui sont venus me voir sont repartis avec ces histoires qui, au fond, leur appartiennent. Je garde cependant en mémoire ce que les gens me disent, ces secrets denses qui les torturent, qui racontent l'intimité des préoccupations humaines et dont on fait rarement des romans.

Bref, quand Jean Pierre Girard m'a approchée, cette année-là, pour me demander si j'acceptais de participer encore, j'ai dit oui. Sans y réfléchir. Parce que je dis tout le temps oui et parce que j'ai toujours voulu que mon crayon serve à quelque chose.

Quand on accepte d'être Donneur, on sait jamais d'avance où on sera installé. Autour de midi, les organisateurs nous invitent à passer dans un café, question de nous donner du papier, des crayons, des informations diverses et, bien sûr, notre lieu d'assignation.

Alors j'arrive, salue tout le monde, attrape mon dossier, ouvre avec curiosité le porte-documents cartonné et…

— Jean Pierre, tu m'envoies Chez Philippe ?

— Oui, pourquoi ?

— On parle du Vic, là ?

Il hausse un sourcil ironique.

— Roxanne ! T'es pas inquiète d'aller au Vic, toujours ?

Entre l'orgueil et l'honnêteté, je choisis toujours l'orgueil.

— Non non… C'est pas ça ! C'est juste que… Hum… Comment ça s'passe… d'habitude… au Vic ?

Jean Pierre, pour ces affaires-là, il est toujours sans pitié.

— Je le sais pas, c'est la première fois qu'on envoie quelqu'un là. Ah, oui ! J'aimerais ça que tu nous fasses un résumé de ton expérience, ce soir, au micro. Tu vas sûrement avoir des histoires à nous raconter !

Comme ça.

Et il s'est enfui.

« Entre l'orgueil et l'honnêteté, je choisis toujours l'orgueil. »

Je tiens à spécifier que je n'avais pas peur d'aller Chez Philippe. OK ? C'est pas ça. C'est juste que, après les fillettes en peine d'amour, les personnes âgées en deuil, les ados et les cocus, est-ce que j'aurais pas mérité d'aller chez un fleuriste, moi ?

Ce qui me rendait nerveuse, c'est que, quelques mois plus tôt, Les Donneurs m'avait envoyée en prison et que j'avais dû passer l'après-midi à jaser avec une gardienne parce qu'aucune détenue n'était venue me voir. J'étais à peu près certaine que les gars du Vic seraient pas plus jasants. Ça fait que je marchais vers la taverne et je m'imaginais installée dans un coin pendant trois ou quatre heures, à boire des O'Keefe et à gribouiller des étoiles sur ma tablette dans un silence gênant.

Je suis arrivée là vers treize heures. J'ai inspiré un grand coup, j'ai monté les quatre marches et j'ai poussé la porte. L'intérieur est divisé en trois parties: à droite, les machines à sous; au centre, en carré, le bar; à gauche, des tables de bois entourées de chaises dures cordées en trois rangs. J'ai opté pour la gauche.

Quand t'entres Chez Philippe en début d'après-midi, les dix gars qui sont là depuis le matin risquent fort de suspendre leurs gestes et leur conversation pour t'examiner copieusement. Surtout si t'es une fille. Surtout si tu tiens un porte-documents dans tes mains. Ils savent que t'as pas d'affaire là. Et toi aussi, tu le sais, crois-moi!

Je les ai regardés, puis je me suis dirigée vers le bar. Commencer par commander une bière.

Un grand slim qui se frottait le nez était accroché au comptoir. Les autres hommes étaient assis plus ou moins en rond, au milieu de la place. Ils entouraient deux tables qu'ils n'avaient pas jugé utile de rapprocher. Des téléviseurs projetaient des parties de hockey en reprise que personne ne regardait. Le son avait été coupé. Pas de musique non plus. Seuls le tintement des machines à sous, de l'autre côté, et le grésillement têtu d'un néon défectueux occupaient l'espace sonore.

— Salut!

Ils ont hoché la tête, sans répondre. Ils se disaient sûrement que j'avais l'air d'une agente de pastorale. Ou de probation. Ils portaient des jeans, des chemises propres et avaient suspendu leurs manteaux aux crochets muraux. Sur les tables trônaient des grosses bouteilles de bière blonde et des verres à demi vides. Ils se servaient eux-mêmes. Pas de t-shirts de groupes rock, pas de chemises à carreaux déchirées, pas de shooter. Juste des hommes que le samedi de congé avait amenés là, ou l'ennui, ou le désœuvrement, ou l'amitié.

J'ai posé mon porte-documents sur le comptoir.

Une femme d'une cinquantaine d'années (sourire doux, maquillage forcé et manucure impeccable) est venue à mon secours:

— J'te sers quoi, ma belle ?

— Une draft. N'importe laquelle.

Pendant qu'elle coulait la bière, j'ai ramassé mon courage et je me suis tournée vers les hommes. Ils m'examinaient toujours en silence.

— J'suis écrivaine pis j'm'en viens passer l'après-midi avec vous autres.

Le slim du comptoir s'est mis à fanfaronner.

— Ha ! Ha ! Moi aussi, j't'écrivain !

Ils ont souri.

Un des hommes, qui portait fièrement une moustache de compétition, a quand même demandé, plus sérieusement :

— Tu veux-tu écrire un roman sur nous autres ?

— Non. J'viens écrire pour vous autres.

Le slim me lâchait pas.

— Tu vas-tu m'écrire une chanson d'amour ?

J'ai haussé les épaules.

— Juste si t'insistes.

Ils ont rigolé. Pas méchamment, mais c'était pas gagné.

— Vous avez vu ? Dans les vitrines du centre-ville, y'a des gens qui ont peint des citations d'auteurs célèbres. Ben c'est ça : aujourd'hui, on est une trentaine d'écrivains un peu partout en ville pis on écrit pour le monde.

Le moustachu, unanimement élu porte-parole, a hoché la tête.

— C'tu cher?

— C'est gratuit.

Le slim insistait.

— Mais qu'est-cé qu'tu vas nous écrire?

— C'que vous voulez. Rien qu'à demander!

Il a réfléchi une seconde.

— Mais j'ai-tu besoin que tu m'écrives de quoi, moi?

— Toi, sûrement pas! Mais y'en a peut-être un icitte qui voudrait me commander un texte, genre: une lettre d'excuses, écrite par un écrivain, pour donner à sa femme?... Ben j'suis là!

Cette fois, ils ont ri pour vrai.

J'ai sorti mon portefeuille et je me suis virée vers la serveuse, pour payer ma draft, mais un homme, dans mon dos, lui a fait un signe. Elle m'a tapé un clin d'œil: «C'est réglé, ma belle.»

Je me suis retournée vers eux.

Il y avait un type solide, courtaud, baraqué, qui avait changé de place. Fin de la cinquantaine, les cheveux pâles, séparés au milieu, les yeux verts. Il s'était éloigné des autres pour s'asseoir à peine à l'écart, dos au mur. Il a tiré une chaise à côté de lui sans me regarder. Les autres ont pas dit un mot. Ils avaient ramené leur concentration muette sur leurs verres.

J'ai pris mes affaires. J'ai posé ma bière sur une des tables, avec celles des hommes, j'ai accroché mon manteau au mur, avec les leurs, et je me suis assise, tablette et stylo en mains, à côté de l'homme aux cheveux pâles, sur la chaise qu'il m'avait approchée.

— Y'a de quoi que tu pourrais m'écrire...

Il parlait bas en regardant l'appui-bras entre nous. Je me suis dit que, enfin, je saurais ce qui hante les hommes des tavernes, que j'aurais de quoi à raconter, ce soir, et que...

— Wô ! Attends minute !

J'ai levé la tête. Le porteur de la moustache de compétition me regardait direct dans les yeux en me pointant du doigt.

— On va s'entendre sur quelque chose avant de commencer, OK ?

J'ai hoché la tête.

— C'qui s'passe à' taverne reste à' taverne. OK ?

J'ai dégluti.

— Oui. OK. Promis.

J'ai écrit tout l'après-midi. Sans arrêt jusqu'au soir. C'est à peine si j'ai eu le temps de toucher à ma bière que, pourtant, les hommes remplaçaient dès qu'elle tiédissait. J'ai écouté leurs histoires et rempli du mieux que je pouvais leurs commandes qui ont changé mon regard sur les tavernes et sur les clients du Vic.

Je n'en ai jamais parlé. Évidemment.

Roxanne Bouchard enseigne la littérature au cégep de Joliette. C'est à trois coins de rue du Vic, mais elle jure n'y avoir jamais remis les pieds. Après *Whisky et paraboles* (prix Robert-Cliche 2005 et Prix de la relève Archambault 2007), *La gifle* (Grand Prix Desjardins de la relève dans Lanaudière 2007) et *Crématorium Circus*, elle a décidé de glisser un œil dans des univers masculins. Sa correspondance avec le caporal Kègle, intitulée *En terrain miné* (Grand Prix Desjardins de la littérature dans Lanaudière 2013), a beaucoup fait jaser. Cette réflexion touchante sur la nécessité des armes l'a amenée au cœur d'une recherche inédite sur la base de Valcartier dont elle publiera les récits d'ici un an ou deux. Au printemps 2014, elle a lancé son cinquième titre, *Nous étions le sel de la mer* (finaliste au prix France-Québec 2015), un polar nostalgique et amoureux qui se situe dans une Gaspésie remplie de menteries de pêcheurs. Elle fignole en cachette une pièce de théâtre, un monologue amoureux destiné aux hommes. Évidemment.

roxannebouchard.com

COMME LA FOIS OÙ J'AI DÉCOUVERT MON NEZ.

PAR GENEVIÈVE JANNELLE

Un grand nez, tu ne nais pas avec. La Nature a pris le temps d'y penser et a fini par se dire qu'un appendice démesuré au milieu de ton joli minois de poupon frais pondu pourrait nuire à l'attachement des adultes envers toi. Et puisque tu es une minuscule personne avec beaucoup de besoins et très peu d'autonomie, elle a jugé que c'était relativement important qu'on s'attache à toi. Je n'ose pas imaginer les conséquences dévastatrices de l'implantation précoce d'un nez aquilin, bourbonien ou busqué sur un faciès d'angelot aux rondeurs de lait... Dégoût ? Horreur ? Répulsion maternelle menant à un arrêt prématuré de l'allaitement ? À une légère négligence dans le bouclage des quatorze sangles du siège d'auto au retour de l'hôpital ? Elle a pensé à ta survie, Miss Nature; c'est son rôle. Et elle le prend à cœur, sans quoi faire pousser ladite protubérance dès le jour 1 et laisser la sélection naturelle faire le travail eût été nettement plus simple. Deux ou trois siècles d'indifférence parentale combinée à une légère aversion de la part des partenaires reproducteurs potentiels et l'extinction de cette branche ingrate de notre race aurait fini par être complète. L'humanité entière arborerait aujourd'hui l'adorable nez retroussé de *Ma sorcière bien-aimée*. Et vlan pour le salaire à six chiffres et la maison de campagne des rhinoplasticiens.

Je soupçonne donc Miss Nature d'en pincer un peu pour les pifs de calibre, pour tant vouloir les préserver. Sinon, ce n'est que pur sadisme. Car la coquine a fait le choix de repousser l'arrivée du drame nasal dans la vie de la victime à la puberté. Un beau matin, elle lance le signal et ça croît à qui mieux mieux. Comme s'il n'y avait pas déjà assez de changements dans le corps déglingué de l'adolescent moyen.

Tout ça pour dire que jusqu'aux alentours de douze ou treize ans, je n'avais pas ce nez-là. Sur toutes mes photos officielles du primaire, en plus de la pomme sur le pupitre et de la tapisserie ringarde en arrière-plan, on peut noter la présence d'un nez tout ce qu'il y a de plus mignon. Avec de jolies taches de rousseur estivales qui s'attardent encore dessus en septembre, tellement elles le trouvent gracieux. La vérité, c'est que je ne sais pas quand les choses se sont gâtées. Par contre, je me rappelle très exactement à quel moment et par la bouche de quel délateur j'ai appris la triste nouvelle.

Nous sommes en 1996. Ma meilleure amie et moi coulons une adolescence semi-trouble au sein d'une bande de petits voyous de bas étage dont le traître fait partie. Il s'appelle Joaquim (nom fictif). Blond comme un Norvégien, un Danois ou un Suédois, il n'a jamais mis les pieds dans aucun de ces pays. En fait, il n'a jamais mis les pieds hors de Napierville, village ayant vu naître la plus importante piste d'accélération au Québec — la célèbre *Napierville Dragway* —, ainsi que moi-même. Je dis « piste d'accélération » pour faire chic, mais « ligne droite d'asphalte où tester et/ou flasher ta Honda Civic montée » serait sans doute plus juste. Et les mots *Napierville Dragway* n'ont certes pas été usés par les villageois de souche qui se contentent généralement de maugréer un « c'est les *drags* » lorsqu'ils en entendent les pétarades, les soirs d'été. Bref, Joaquim n'est pas beaucoup sorti de son trou. Peut-être a-t-il promené ses yeux de poteux injectés de sang du côté de Sherrington ou de Saint-Jean-sur-Richelieu, dans ses moments les plus *carpe diem*, mais sans plus. Un vrai *local*. Comme pas mal tout le reste de la bande, d'ailleurs. Ma copine et moi sommes les seules filles du groupe; deux gamines de bonne famille qui tentent de se faire croire qu'elles sont des *gangstas* parce qu'elles écoutent Nirvana, NOFX et Lost Boyz dans des fringues louches grappillées à l'Armée du salut. Nous nous habillons exactement comme nos petits camarades de sexe masculin. Nos courbes naissantes flottent dans des combos jeans/t-shirt extralarges et nous réussissons à nous étonner que ces jeunes étalons ne nous aient pas encore déclaré leur amour. J'ai quatorze ans. Et ma vie s'apprête à voler en éclats.

Joaquim n'en sait rien, mais son nom tapisse mes pensées et les pages de mon agenda scolaire. Il est plus vieux et plutôt beau; je suis à l'âge où cela couvre l'ensemble de mes critères. Et un soir où toute la bande traîne dans un parc, ma copine décide de mettre la main à la pâte pour m'aider à faire lever ce pain d'amour inavouable. Elle attaque, tandis que mon prince se roule un *bat*.

— Eille Jo, moi j'te verrais avec Ge...

Bon, elle ne gagnera pas de prix pour sa subtilité.

— Vous êtes blonds tous les deux, ça ferait des beaux enfants... Tsé, comme le p'tit Jacquo dans les annonces des SuperFries de McCain...

On s'entend: ses références sont spéciales. Mais je laisse la chance au coureur.

— Tsé, c'est dur à voir dans du linge lousse de même, mais elle a des pas pires seins. Bon, petits, mais cutes...

À ce stade, cachée derrière un monument en hommage aux Patriotes, sentant poindre en moi la vague envie de lui demander si elle est mon amie ou mon *pimp*, j'arbore une face que l'on pourrait qualifier de dubitative ou, moins élégamment, de *what-the-fuck*.

— Ouin, j'vous verrais vraiment ensemble... Elle est belle, Ge, non?

« Il est plus vieux et plutôt beau ; je suis à l'âge où cela couvre l'ensemble de mes critères. »

Et là, bang. J'ai à peine le temps de m'attendrir sur ses efforts de *best-friend-4-ever* que la réplique assassine fuse:

— Tu veux dire Cyrano?

Il passe une main dans ses cheveux et la langue sur son papier à rouler, puis, se trouvant particulièrement spirituel, émet un petit rire niais. Il ne sait pas que j'ai entendu. Dans mon jeune cerveau, le hamster court vite. Cyrano? Que sais-je de Cyrano? À quatorze ans, je suis une lectrice boulimique, mais si ce n'était des Zola, Jules Verne et Balzac qui constituent les lectures obligatoires du collège privé où m'envoient mes parents, je ne lirais que du contemporain. Et par « contemporain », je ne fais pas référence aux grands auteurs de ce siècle acclamés par la critique ou primés au Goncourt. Je veux plutôt dire que je suis passée depuis belle lurette à travers l'ensemble des romans de La courte échelle et de la collection Frissons; à travers toutes les briques de la bibliothèque de ma mère aussi, de *Ces enfants d'ailleurs* aux *Filles de Caleb* en passant par Danielle Steel. Au moment du drame, je suis dans ma phase Clive Barker, Dean Koontz et autres auteurs effrayants en version traduite. On peut donc affirmer que ma culture classique est (tousse-tousse) limitée. Je sais que ledit personnage provient d'une pièce de théâtre et qu'il arbore un très grand nez. Or, peut-être a-t-il d'autres qualités ou attributs célèbres, inconnus de moi ? Je me raccroche à cette idée jusqu'à ce que je finisse par me dire que si je ne lui connais qu'un nez, moi qui ai grandi dans une maison débordant d'encyclopédies, les probabilités que Joaquim — élevé entre deux caisses de bière — en sache davantage sont plutôt faibles.

Pourquoi m'appeler, moi, Cyrano ?

Qu'est-ce qu'il a, mon nez ?

Le soir même, je prends mon courage — et un miroir de poche — à deux mains. Debout devant l'immense glace de la salle de bain, je positionne l'objet afin de voir mon profil.

Oh. Mon. Dieu.

En lieu et place de la mignonne pente de ski attendue, je découvre une légère protubérance osseuse suivie d'une arête arquée. C'est un bec de très petit aigle, d'aigle pas menaçant du tout, mais un bec d'aigle quand même. Et quand je souris, la pointe s'incline vers ma lèvre supérieure d'une façon qui me rappelle vachement les méchantes des films de Disney. Je me sens trahie. Surtout que ni mon père ni ma mère n'ont pu me transmettre cet attribut physique qu'eux-mêmes ne possèdent pas. On a du pif, dans la famille, certes, mais ça s'étale surtout en largeur. Le genre de nez que tu vois, de face, dans la glace. Un nez honnête, quoi. Pas un organe traître que tout le monde voit sauf toi.

ÇA VIENT D'OÙ, CE NEZ-LÀ ?

Ça y est. C'est la fin de ma beauté. Pire: j'apprends qu'elle n'a jamais existé. J'étais fictivement jolie. Je me suis toujours regardée de face et mon reflet me mentait. Ma laideur se cachait sur les côtés, sournoise, hors de mon champ de vision. Diantre ! Pourquoi personne ne m'a rien dit ? Je cours chercher l'album de photos familial et découvre avec une horreur renouvelée que le mal est récent. On m'y aperçoit, deux ans plus tôt, déposant un baiser sur la joue de ma sœur aînée. J'y figure de profil. Et cette saleté n'y est pas.

Je devrais peut-être me faire faire un *name tag*, comme dans les groupes de soutien: « Bonjour, mon nom est Cyrano. »

Lorsque je m'endors, ce soir-là, je ne suis plus qu'un nez. Un trop grand nez. Les complexes de mes copines se camouflent aisément sous une ou deux couches de vêtements; le mien est sans pardon. Il revendique le droit d'exister au grand jour. Et je ne peux rien contre ses manifestations. Le salaud a bel et bien remis son itinéraire. Point de départ: ma face. Point d'arrivée: ma face.

Ma mère tente de me consoler en évoquant des modèles de réussite et de séduction que l'on pourrait qualifier de « nasalement équipés ». Or, pour une adolescente qui aspire à ressembler à l'actrice dans *Le retour au lagon bleu*, Barbra Streisand et Cher sont juste déprimantes.

Je deviens une jeune fille confiante de face, complexée de profil. Je rêve de gagner une rhinoplastie. J'attends juste qu'ils en fassent tirer une, dans *Filles d'aujourd'hui*.

Puis, en 1998, Sarah Jessica Parker incarne Carrie Bradshaw et soudain, les grands nez acquièrent un certain *sex-appeal*. Je recommence à respirer. Par le nez.

Et une chose fabuleuse se produit: pendant les six années de diffusion de la série, je vieillis.

Pour une femme, le fait de prendre de l'âge a cela de bon: on est de mieux en mieux dans sa peau. On s'aime de plus en plus, on s'accepte, on cesse de se faire la guerre. Tout ce que l'on aurait voulu arracher/remodeler/normaliser sur notre corps nous paraît soudainement attachant. C'est nous. La vie est bien faite, car cette trêve nous laisse enfin assez d'énergie pour commencer à regarder quelqu'un d'autre que nous-même, pour faire des enfants, peut-être.

Pour la petite histoire, j'ai perdu ma virginité entre les bras de Joaquim.

Mon nez n'a pas semblé le déranger outre mesure.

Et lui, de mémoire, n'avait rien d'un roc, d'un pic, d'un cap ou d'une péninsule.

Geneviève Jannelle est l'auteure de trois romans à ce jour: *La juche* (Marchand de feuilles, 2011), *Odorama* (VLB, 2012) et *Pleine de toi* (VLB, 2014). On a aussi pu la lire, plus récemment, dans le recueil de nouvelles érotiques *NU* (Québec Amérique, 2014). Deux faits d'armes font sa fierté: avoir remporté le Prix de la nouvelle Radio-Canada en 2012 et avoir été la joueuse la plus punie de toute sa ligue de hockey mineur en 1998. Sur sa carte professionnelle de jeune publicitaire branchée, on peut lire « conceptrice-rédactrice », un titre pompeux qui lui permet, entre autres, de payer son hypothèque et de se prendre pour une autre. Reconnue pour sa plume grinçante, mais encore plus pour sa vaste collection de talons hauts, elle adore exhiber ceux-ci de façon ostentatoire dans les lancements. C'est sans doute là une de ses grandes motivations à publier.

COMME LA FOIS OÙ JE ME SUIS BATTUE CONTRE LA RUSSIE.

PAR KIM LIZOTTE

J'aurais pu vous raconter bien des histoires, bien des « fois ». J'ai une vie particulièrement... tumultueuse ? Mouvementée ? Hum, disons imprévisible et remplie de frasques.

Comme la fois où, à dix ans, j'ai fait du porte-à-porte pour vendre du chocolat rien que pour me payer un billet de spectacle de Patrick Bruel.

Comme la fois où j'ai tué un chaton par accident parce qu'il avait sauté dans la sécheuse à mon insu.

Comme la fois où le destin a voulu me pousser au suicide en m'imposant une tempête de neige et une panne d'électricité, dans un appartement vide, le jour où l'amour de ma vie m'a quittée.

Comme la fois où un homme marié m'a jetée à la porte d'une chambre de l'hôtel St-James en m'annonçant qu'il ne dormait qu'avec sa femme. Une belle surprise.

Et il y a cette fameuse fois.

La fois où je me suis battue.

Je me suis toujours vue comme une grande pacifiste, incapable de réactions violentes. Je condamne les armes à feu, les bagarres, la violence en général, qu'elle soit physique ou psychologique; je suis contre la peine de mort et je crois naïvement qu'on devrait donner de l'amour aux criminels au lieu de les enfermer. Appelez-moi mère Kim Teresa.

Je suis madame « amour universel », « paix dans le monde », « aimez-vous les uns les autres ». Un heureux mélange entre Jésus et Miss Univers en entrevue.

Ceci étant dit, je suis aussi contre les religions et les concours de beauté. Que de contradictions dans ma petite personne.

Bref, à part quelques bagarres amicales au primaire, avec mes frères ou avec mon cousin Jean-Philippe, j'ai toujours interprété les réactions violentes des gens comme de la barbarie ou un manque de contrôle de soi, blâmant même un déficit de vocabulaire et d'intelligence émotionnelle qui transforme les gens en abrutis.

Bande de demeurés que ces garçons qui se battent dans la cour d'école, à la sortie des bars ou, pire, dans des endroits banals comme les files d'attente, les restaurants ou en pleine rue.

Oh que je me pensais au-dessus de tout ça!

J'étais madame la marquise du drapeau blanc. Pure, grande et plus sage qu'un bonsaï. Oh que j'avais compris la vie, moi, monsieur!

Jusqu'au jour où je me suis retrouvée à Cuba. Oui. Cuba. La révolution, les cigares, les Cuba Libre, le Che, Fidel, la baie des Cochons et le Buena-Vista-j'sais-pu-quoi-Club.

Plein de belles références culturelles inspirantes, mais dans la réalité, on parle de vacances de Noël en famille dans un tout-inclus trois étoiles et demie, avec mojitos bas de gamme et gros colons coiffés de chapeaux de cow-boy Corona à tous les bars de piscine. Oui, les fameux bars de piscine, là où, assis le cul dans l'eau, on peut boire des pina coladas qui ne contiennent absolument AUCUNE trace d'ananas.

Trêve de plaisanteries, les Lévesque-Lizotte (car oui, mon nom est Kim Lévesque-Lizotte. J'ai abandonné le Lévesque pour faire de la scène et la féministe en moi le regrette amèrement. Lévesque est le nom de ma mère, il représente tout l'amour que j'ai pour mon grand-père maternel et c'est Lévesque comme dans RENÉ LÉVESQUE! RENÉ! On n'a aucun lien de parenté, mais mon Dieu que ça colle bien à mon côté militante souverainiste acharnée fatigante! Voilà, vous savez tout de moi. Fin de l'interminable parenthèse.)

BREF. Les Lévesque-Lizotte — papa-maman, les deux frérots, grand-papa-grand-maman, parfois même oncles, tantes, cousins, cousines — avaient l'habitude de partir chaque année dans ces fameux *resorts* qui font le bonheur de tous les Québécois n'ayant pas les moyens d'aller en Martinique ou au Costa Rica.

C'était donc la fête chaque soir. Mes frères, deux grands gaillards de seize et dix-huit ans, découvraient les joies de boire en plein jour sous le regard effrayé de ma mère (dont la principale crainte dans la vie est qu'un de ses enfants finisse alcoolique), de coucher avec de pures étrangères sans avoir aucun compte à rendre le lendemain et de se baigner nus dans l'océan la nuit, défiant la mort chaque fois, avec toute l'insouciance des garçons qui n'ont pas encore vingt ans.

Et moi qui apprenais à connaître toutes les merveilles de la culture cubaine, c'est-à-dire faire l'amour à la belle étoile avec un G.O. cubain surqualifié qui accumule chaque semaine des conquêtes de partout à travers le monde en feignant l'amour. Quel beau métier que celui qui vous amène à découvrir constamment de nouvelles langues !

Mais bon, malgré toutes ces histoires tordues de tourisme sexuel, ce n'est pas avec un G.O. que je me suis battue.

Un soir de pleine lune (je cherche des raisons à ma violence soudaine), nous étions, mes frères et moi, dans un petit bar au bord de l'océan. C'était rempli de touristes, mais aussi de jeunes Cubains et Cubaines, des danseurs de salsa venus donner ces horribles spectacles qu'on nous présente le soir, dans les hôtels. Horribles non pas par manque de talent des performeurs, mais bien à cause d'une mise en scène médiocre, quétaine et ridicule à laquelle ils sont condamnés à participer. *DAMN YOU COMMUNISM!*

Du fun, en veux-tu, en v'là ! Je suis sur mon trente-six, mais mon trente-six trois étoiles cubain, c'est-à-dire en robe trop fleurie, trop courte, avec une fleur dans les cheveux, bref, un look que je n'adopterais JAMAIS au Québec.

Je bois trop parce que j'ai un bracelet jaune en plastique qui me permet de me rendre jusqu'au coma éthylique gratuitement tout au long de mon séjour. Je jase avec trop de gars, je m'amuse avec des filles. Mais rien d'extravagant. Ma langue française, anglaise et espagnole reste dans ma bouche.

C'est la fête. Les gens dansent. Ça flirte. C'est plein de monde en vacances, il est très tard et personne ne veut que la nuit finisse. Je fais rire une de mes nouvelles amies, ma BFF de la semaine (être humain que je ne reverrai plus jamais de ma vie). La musique pop latino ne m'agresse même plus, je twerke sur du Daddy Yankee avant même que la chose ait été inventée par Miley Cyrus.

« Je bois trop parce que j'ai un bracelet jaune en plastique qui me permet de me rendre jusqu'au coma éthylique gratuitement. »

Et puis, boum. Les barbares. Les abrutis. Les demeurés.

Un gros baquet chauve saute sur un autre homme que je n'arrive pas à voir. Je le pointe du doigt à ma BFF temporaire, presque en riant, jusqu'à ce que...

Et c'est là.

C'est là que je suis tombée. Dans ma barbarie à moi. Dans cette zone où il n'y a plus de compas moral. Là où ça fait mal, là où les pensées s'évaporent, où les mots n'existent plus et que tout devient noir.

Les fils se sont touchés. Je n'entendais plus la musique. Ni les vagues de l'océan. Ni ce que pouvait bien baragouiner ma nouvelle meilleure amie.

Coincé sous ce gros chauve bien enveloppé se trouvait... mon petit frère.

Mon sang, ma chair, ma *familia*.

Ce petit frère que je connais depuis sa naissance, que j'ai vu grandir, que j'ai aimé, que j'ai détesté, que j'ai cajolé, que j'ai battu, parfois, un peu, moi aussi. Ce petit frère, malgré sa carrure, son corps imposant de jeune homme qui approche la vingtaine et le fait qu'il s'achètera probablement une maison avant moi, eh bien moi, je le vois encore comme un gamin de six ans.

Un gamin de six ans qui se fait taper dessus.

Mon frère se fait frapper.

Mon frère a mal.

Mon frère serait blessé. Sa vie est peut-être même en danger, qui sait?

Il n'y a plus de filtre, plus de gêne, plus rien qui compte.

Je crie. De toutes mes forces. De toute mon âme. Comme une dégénérée, comme je n'ai jamais crié de ma vie. Mon visage se crispe, je hurle à pleins poumons, un cri de survie provenant directement de mon cerveau reptilien. Un cri bestial.

Je fonce sur l'homme. C'est un Russe. Un gros crisse de Russe. Il a au moins trente ans, cet épais qui bat mon bébé frère.

Je me jette sur lui comme une tigresse, sur sa tête, avec un de mes talons hauts comme arme de poing et ma sacoche dans l'autre main. Et me voilà raciste! Un autre aspect que je ne connaissais pas de moi!

«*YOU FUCKING RUSSIAN, LEAVE MY BROTHER ALONE!*»

Comme si j'avais déjà eu du trouble avec des Russes dans ma vie! (Précision: je n'en connais AUCUN!)

Mon gros tata commence à se demander ce qui se passe sur son caillou de gros tata. Des coups de talon, rien de moins! Il se remue et mon frérot peut enfin se relever. Me voilà soulagée jusqu'à ce que je voie le sang.

Le sang qui coule sur son petit visage. Rouge, vif, du sang frais.

Silence.

Et c'est à ce moment précis que je me suis transformée en échappée de l'asile.

Jamais je n'aurai proféré autant de menaces de mort aussi sincères à une seule personne en un si court laps de temps.

You're dead. I'm gonna kill you… you fucking Russian sont des mots qui sont sortis de ma bouche. MOI. Miss Paix-dans-le-monde-libérez-le-Tibet-et-Yes-we-can.

Après une première crise d'enragée bien sentie, j'ai repris mon souffle. Pour m'apercevoir que…

La musique s'était arrêtée.

Les lumières étaient allumées.

Les petites danseuses cubaines, effrayées, étaient cachées derrière un palmier.

Laissant toute la scène à cette folle qui hurlait après un gars qui avait trois têtes et deux cents livres de plus qu'elle.

J'ai eu honte deux secondes et demie. Puis j'ai repensé au sang.

Constatant que mon frère avait disparu et que je n'étais pas de taille face à ce colosse, j'ai opté pour une solution d'enfant de cinq ans qui se sent impuissante devant un problème: aller chercher mon père.

Parce que mon père, ce n'est PAS n'importe qui.

Mon père, c'est le plus fort, c'est le plus brave, il n'a peur de rien. Il s'est battu souvent, il me l'a dit! Je ne l'ai jamais vu à l'œuvre, mais dans ma tête, il frappe comme Tyson, maîtrise l'art du combat comme GSP et ne reçoit jamais un seul coup, tel un ninja. Mon père. Va. Le. Tuer.

J'avais décidé ça. Répondre à la violence par la violence. Œil pour œil, dent pour dent. Tout ce en quoi je n'ai jamais cru.

Mais c'est le petit animal en moi qui a voulu défendre son clan. Et le chef de la meute... eh bien, euh... c'est ma mère. Mais pour le département des menaces physiques et des histoires de gros bras, ça relève de mon D'Artagnan de père.

Je ne sais pas ce qui m'a pris. Mon père n'a plus trente ans ni sa dégaine de jeunesse. Mais qu'importe. Sans penser, sans réfléchir, j'ai couru, couru, couru, comme je n'ai jamais couru de ma vie, à en perdre le souffle.

J'ai couru avec mon cœur de petite fille, j'avais cinq ans, ma tête criait «papa, papa, papa» et il n'y avait que lui vers qui mes pieds me portaient.

Arrivée à la porte de la chambre de mon père, j'ai hurlé encore, comme s'il y avait mort d'homme. Peu m'importaient les vacanciers endormis, peu m'importait qu'il soit trois heures du matin, j'ai hurlé:

— PAPA! SACHA S'EST FAIT BATTRE! IL SAIGNE!

Je pleurais comme une Madeleine cinglée qui a trop bu de daïquiris aux fraises. Une Madeleine hystérique à bout de souffle, avec des larmes noires de mascara qui lui coulent dans le visage. JE VENGERAI MON FRÈRE!

Et mon pauvre père qui est arrivé sur les lieux.

Bien sûr, il ne m'a pas déçue. Mon héros. J'ai pointé le gros Russe du doigt en hurlant:

— C'est lui! *You're gonna die!*

Et mon Superman de papa l'a poussé de toutes ses forces dans une table en criant:

— *YOU TOUCHED MY SON?!?!!!*

Un héros. Il ne parle pas un maudit mot d'anglais et le voilà qui s'énerve dans la langue de Shakespeare sous le coup de la pression. On n'en fait plus des comme lui.

Et c'est en voyant mon gros papa chauve rouler dans le sable avec le gros Russe tout aussi chauve que je me suis rendu compte du ridicule de la situation.

Ils étaient si gros et si imposants que les pauvres policiers cubains de cinq pieds deux pouces, quatre-vingt-dix livres mouillés, n'arrivaient pas à les séparer.

Mon père a crié: «C'EST ASSEZ!»

Peut-être pour avoir l'air d'être l'adulte de la situation, mais probablement parce qu'il était essoufflé.

Peu importe, il a choisi la paix. Mon père. Ce Gandhi essoufflé.

Je me suis calmée. Surtout lorsque j'ai vu que mon frère ensanglanté était encore en vie. Et que je me suis rappelé qu'il saigne toujours du nez, sans raison, que ce soit parce que l'air est sec ou parce qu'il est stressé pour un examen de maths. Le frérot a le nez sensible, c'est de famille, on fait de la haute pression... Ça paraît-tu ?!?!

Je n'étais jamais allée là, dans les sombres recoins de ma propre violence. Celle qui veut faire mal, celle qui veut donner la mort.

Tuer. J'ai voulu tuer. J'aurais tué. On ne touche pas à ceux que j'aime.

Voilà pourquoi je suis contre le port d'armes à feu. Parce que si j'avais eu un *gun* sur moi, je l'aurais tué, le gros Russe. J'aurais pu tuer le fils, l'ami, le frère de quelqu'un. Sous le coup de l'émotion, sans y penser à deux fois. Et je serais maintenant une meurtrière. Dans une prison cubaine, sous régime communiste. Méchant beau destin.

Depuis sa sortie de l'École nationale de l'humour, en 2009, Kim Lizotte multiplie les projets d'écriture. Elle signe d'abord une chronique humoristique et épicée dans le magazine *FA*, dans laquelle elle raconte des anecdotes croustillantes sur les relations amoureuses. Peu de temps après, elle se joint à l'équipe de scripteurs pour les émissions *Les Détestables* et *Et si?*. Son talent d'auteure lui permet également de décrocher une chronique sur le site Urbania.ca, où elle fait un tabac. Ses textes sont lus par des centaines de milliers de lecteurs et partagés de nombreuses fois sur les réseaux sociaux. En 2014, Kim est approchée par le *Journal de Montréal*, qui lui propose une chronique d'humeur. De plus, elle se joint à l'équipe d'auteurs pour le spectacle *Les Morissette*, mettant en vedette Véronique Cloutier et Louis Morissette. La même année, elle écrit un texte qui est publié dans le livre *Lettres à un souverainiste*. Pendant deux ans, elle participe à *Selon l'opinion comique* à MATV, émission qui réunit toutes ses passions: humour, écriture, actualité, scène. Passionnée, critique et enflammée, la jeune femme n'a qu'un désir en tête: partager sa vision de la société, des humains et de la vie.

COMME LA FOIS OÙ J'AI RENCONTRÉ UN FANTÔME DANS UN TOUT-INCLUS.

PAR PIERRE MANNING

Lorsqu'ils vont à Cancún, la plupart des gens rapportent de la tequila, du mezcal, du café, de la vanille, un peu de sable au fond de leur valise et des dizaines de photos de plage avec des sourires tout en dents à l'avant-plan. Moi, je rapporte des fantômes. Sur pellicule.

J'étais au Mexique pour un contrat de photos publicitaires. Un projet que l'on pourrait qualifier de reposant pour l'œil, soit photographier la nouvelle collection de bikinis d'une boutique de maillots de bain. En effectuant mon repérage, je n'ai pu m'empêcher de remarquer cet hôtel, sur l'une des plus belles plages de Cancún. Je dis «hôtel», mais en fait, c'est de tout un complexe qu'il s'agissait.

El Pueblito Beach Hotel.

Découvrez 29 magnifiques villas de style colonial entourées de jardins à perte de vue! Appréciez l'une de nos 350 chambres avec balcon ou terrasse, dont de superbes penthouses! Cinq piscines à cascades, air conditionné à volonté, télé couleur, téléphone, alouette! Emmenez vos enfants et venez vous détendre en formule tout-inclus, dans un environnement typiquement mexicain. Le soleil et la mer n'attendent plus que vous!

Ça, c'était avant 2005.

Parce qu'aujourd'hui, El Pueblito vit sa douce décrépitude sous les vents marins du large, et retourne tranquillement à la mer, morceau par morceau, mangé par le sel et les vagues gourmandes.

C'est qu'en octobre 2005, *Wilma* a durement frappé la côte mexicaine: l'ouragan le plus intense jamais enregistré dans le bassin cyclonique de l'océan Atlantique, rien de moins. Pendant des jours, il a plu sans discontinuer et les vents ont atteint 290 km/h. Lorsque *Wilma* a fini par se retirer, Cancún avait été violée. Elle n'était plus ce qu'elle était. Cet éden dont rêvaient tous ceux qui vivent sous des latitudes plus nordiques n'était maintenant que chaos, arbres déracinés, débris et structures déchiquetées. Les abribus, les panneaux publicitaires et les poteaux électriques étaient tordus, froissés comme de vulgaires boules de papier; les maigres possessions des habitants gisaient çà et là, éparses. Évidemment, le paradis touristique qui s'étendait sur un long ruban de sable semé d'hôtels luxueux avait été englouti par des vagues de plus de dix mètres. La péninsule du Yucatán en entier était défigurée.

El Pueblito est donc aujourd'hui un cadavre, un vestige, un témoin.

Je n'ai pu résister.

Pour ne pas risquer d'être arrêté alors que des bikinis comptaient sur moi, j'ai attendu la fin du voyage. Puis, j'ai décidé de fausser compagnie à l'équipe et d'aller rendre visite à ce mastodonte abandonné.

Enjambant la clôture, je me suis aventuré sur les lieux craintivement, le pas mal assuré. J'avais épié l'endroit souvent au cours des derniers jours et il semblait habité par des squatteurs. Les multiples vendeurs de plage l'utilisaient comme base, ainsi que comme raccourci entre le sable et la route principale. Or, j'avais bien choisi ma journée: le dimanche, la vie s'arrête au Mexique. Jour de foi, jour d'église, jour de congé: les lieux étaient déserts.

Ou presque. En tout cas, il n'y avait pas là âme qui vive.

Je suis d'abord tombé sur la piscine. Vide. On pouvait presque entendre les rires, les tintements des verres, les éclaboussures d'autrefois; imaginer les femmes alanguies sur les transats de céramique jaillissant du fond du bassin.

J'ai ensuite parcouru les lieux, lentement, en silence, une villa à la fois, chambre par chambre. Le crissement de mes pas était assourdissant. Dans chaque pièce où je m'aventurais, j'avais l'impression d'entrer chez quelqu'un; partout, des signes de présence humaine jonchaient le sol: matelas, vieux téléviseurs, emballages; graffitis sur les murs. Mais plus que tout, je me sentais observé. Comme si je savais qu'il y avait quelqu'un. À tout moment, ce résident allait me chasser hors de l'hôtel, j'en étais sûr.

Pourtant, il n'y avait pas un chat, pas un rat: que moi.

C'est la nuque chatouilleuse et le regard souvent par-dessus l'épaule que j'ai fait quelques photos, tentant de saisir tout ce que l'endroit avait de surréel, d'en capter la douce étrangeté avec mon objectif.

Une ambiance lourde, inconfortable, emplissait chaque pièce.

J'y voyais un fantôme. Et je suis photographe. J'ai photographié.

Mais à ces clichés, il manquait mon spectre. Celui que j'avais rapporté dans ma tête, dans mes valises, mais pas sur la pellicule. Celle que j'avais rapportée, devrais-je dire. Parce que c'était une « elle ».

Ça m'obsédait, alors je l'ai fait revivre, je l'ai obligée à rôder dans l'hôtel des photos, comme elle errait dans le vrai: *La chica del Pueblito*.

Associé chez Shoot Studio, Pierre Manning est l'un des photographes dominants de la scène montréalaise. Son travail lui a valu de nombreuses reconnaissances professionnelles en Amérique du Nord et sa présence recherchée dans les activités de l'industrie confirme sa notoriété, notamment à titre de conférencier auprès de la relève artistique. Doté d'un précieux sens de l'esthétique, reconnu pour sa maîtrise de l'éclairage, Pierre Manning nous fait partager depuis plus de 20 ans sa façon de combiner minutieusement les ingrédients nécessaires au succès d'une prise de vue. Intuitif, il a une touche unique pour mettre en scène des ambiances et sait souligner la beauté avec une grande simplicité. Pierre réussit à capter l'émotion brute, sans artifice, et à créer une image épurée avec un regard juste sur son sujet.

Pierre Manning

Comme la fois où j'ai rencontré un fantôme dans un tout-inclus.

Comme la fois où j'ai rencontré un fantôme dans un tout-inclus.

Pierre Manning

Comme la fois où j'ai rencontré un fantôme dans un tout-inclus.

COMME LA FOIS OÙ ON M'A FAIT CROIRE QUE J'AVAIS TUÉ QUELQU'UN.

PAR CATHERINE TRUDEAU

«Tu voulais pas aller à l'école? Ben c'est ça!»

Boutade pour initiés — lire ici: membres de l'Union des Artistes —, cette phrase est souvent lancée à celui d'entre nous qui ose se plaindre de son statut de travailleur-autonome-barre-oblique-troubadour. Ce fameux statut qui nous réserve des horaires plus qu'atypiques, des heures de convocation au plateau parfois impitoyables, d'éternelles périodes d'attente entre deux tours de manivelle et des jours à quatre *shifts*, comme on dit dans le jargon, parce que, la plupart du temps, il faut prendre tout ce qui passe au moment où ça passe. L'autobus du *show-business* croise rarement le même arrêt deux fois. Quoi qu'on en dise, c'est une situation qui a aussi ses bons côtés, comme d'aller profiter d'une matinée au spa, souvent désert en semaine, sans oublier la félicité d'être la première arrivée à l'ouverture du IKEA le lundi. Je ne vous dis pas le bonheur.

Bref, je n'ai pas voulu aller à l'école. Ou du moins, pas la bonne. Pas à celle qui aurait permis à mes parents de clamer avec fierté qu'ils ont engendré une avocate, ou mieux, que leur fille sauve des vies armée d'un bistouri. Oh, j'ai bien l'équivalent d'un baccalauréat encadré et enfoui dans la garde-robe en cèdre de mon sous-sol. Un papier qui certifie que je peux «interpréter». Ce qui laisse, avouez-le, toute la place à l'interprétation. Un beau papier texturé avec un sceau qui atteste ma capacité à jouer. Mais bon. Mon domaine étant hautement contingenté, qui plus est, squatté par tous ceux qui revendiquent leur quinze minutes de gloire, on dirait qu'il ne m'assure pas de grand-chose, ce beau papier là.

Tout de même, j'ai encore aujourd'hui cette impression de pratiquer le plus beau métier du monde. Et je le fais avec sérieux et application, malgré ses à-côtés et produits dérivés qui, parfois, n'ont juste pas d'allure. Pour paraphraser ce cher Jean Chrétien: «Que voulez-vous!» Des fois, on vient tannés d'aller faire des fous de nous autres au petit écran. Pour arrondir les fins de mois, on se plie à quantité de *quizz* et autres jeux télévisés rivalisant d'imagination pour nous montrer sous notre «meilleur» jour. On nous demande d'improviser la tête en bas tout en calant des *shooters* de jus vert sans gluten additionné de tabasco; de mimer le vingt-troisième mot de notre chanson d'enfance préférée devant des coéquipiers aveuglés par leurs lunettes de sécurité saucées dans la mélasse; de nous râper le dos en courant dans une roue à hamster géante pour ramasser 57,32 $ destinés au financement des nouveaux chandails d'une équipe féminine de ballon-balai. J'exagère un peu, mais pas tant.

C'est dans des moments comme ça, ces fois où tu te demandes: «Qu'est-ce que je fais là ? Pourquoi je me mets dans ce genre de situations ?», ces innombrables fois où tu te dis que tu mérites autre chose — de mieux, de moins embarrassant, de plus noble, de plus ambitieux, de plus digne d'une nomination aux Jutra —, que cette phrase, empreinte de beaucoup de drôlerie, mais d'un grand fond de vérité, surgit: «Tu voulais pas aller à l'école ? Ben c'est ça !»

Et c'est là qu'arrive ce qui réconcilie l'acteur avec son statut de vendeur de rêve des temps modernes, je vous le donne en mille: le lucratif contrat de pub. Comme celui que j'ai décroché il y a un peu plus d'un an et qui allait se tourner à Los Angeles. En plein mois de février. Quel ennui. Dans un quartier en banlieue de la ville des Anges, pour imiter la Rive-Sud cossue du Royaume de Coderre. La belle affaire. On me logerait dans un hôtel de vedettes à West Hollywood et j'aurais un chauffeur privé pour m'emmener zieuter les propriétés des stars des *soap operas* d'après-midi dans les Hollywood Hills. Quelle plaie. Voilà un des aspects de ce métier de pas d'allure que je prendrais bien plus souvent.

Los Angeles !

Réaliser enfin ce rêve d'adolescente et fouler tous ces endroits qui n'existaient jusqu'alors que dans mon imaginaire. Me réveiller la nuit pour pratiquer quelle *duckface* j'arborerai devant les majestueuses lettres blanches — tant qu'à être cliché, soyons-le *all the way* ! Poser mes menottes manucurées par la gentille Vietnamienne de la Place Longueuil dans les empreintes laissées dans le béton par Marilyn Monroe, sur Sunset Boulevard. Passer devant la hacienda où elle a rendu l'âme dans ce quartier modeste de Brentwood, cette funeste nuit d'août 1962.

Oh que oui, membre UDA 654 574 s'en va à L.A.: le rêve, l'inimaginable, la concrétisation d'une promesse de meilleurs lendemains, qui sait ?

Six paires de chaussures, huit de boucles d'oreilles et trois robes plus tard, armée d'une valise défiant les lois du poids toléré à bord d'un cargo — qui a pourtant déjà transporté des éléphants d'Asie vers le zoo de NYC —, me voilà à l'aéroport qui porte les initiales les plus prestigieuses au monde: PET. L'œil allumé, prête à en recevoir plein la gueule de strass et de *bling*, je m'en vais me faire accepter à l'étranger par mes semblables. Mais les membres de la Screen Actors Guild me reconnaîtront-ils seulement comme une des leurs ? N'étant pas dénaturée par les produits dopants, « lissants » ou « repulpants » très prisés là-bas, serai-je perçue comme trop pure ? Trop proprette ? Trop sage ? Pas assez uniforme ?

C'est à ces sombres pensées que je me livre, dans la file d'attente d'un des nombreux points de contrôle, en patientant pour pouvoir enfin poser le pied en zone internationale. Jusqu'ici tout va bien, en ce petit matin frisquet et humide bien montréalais. Puis arrive le moment où je dois passer les douanes américaines.

Comme je me rends dans l'État californien pour, oui, m'amuser, possiblement attraper le pieds-mains-bouche dans les empreintes de Marilyn, mais avant tout pour « travailler », la production m'a pourvue, afin d'éviter tout problème aux douanes, de documents rédigés à grands frais par une firme d'avocats, prouvant le sérieux et la légalité du projet. Tout y est, dans les deux langues : le nom de la compagnie à laquelle je prêterai mon visage et ma voix, le chiffre d'affaires annuel de ladite compagnie, les noms des gens à joindre pour toute question, la date de mon retour en sol canadien et mon ascendant. J'exagère à peine.

Seulement voilà. Ça ne suffit pas.

Ce matin-là, le teint frais (merci *smoothie* aux petits fruits), en mode avion avec mes Ugg confortables — pas de pâles copies, *oh no*, des *genuine*, ma chère —, j'ai pigé le bon numéro à la loterie. Quota et moi, ça rime. J'ai beau brandir les précieux documents qui me blanchissent de toute tentative d'acte terroriste ou d'un désir à peine voilé d'aller voler l'emploi des serveuses de L.A., rien n'y fait. Me donnant du: «*Da ya think I have time to read this?*» en balayant du revers de la main avec dédain les papiers rendus moites entre mes doigts, l'agente des douanes me questionne vertement.

Pourquoi on tourne à L.A. et pas au Québec? *I dunno*. Alors que, oui, *I know*. C'est parce qu'il y a en ce moment de la neige au Québec et que la publicité doit mettre en scène un extérieur estival. Alors on va où il n'y en a pas, de neige. Seulement, je perds mes moyens, ma répartie et mon sang-froid. Je réponds bêtement que «*I don't know why we are shooting in L.A.*», que «*I didn't create the concept*» et que «*I am only the actress*».

Arrêt sur image. Le temps se suspend subitement. Comme dans les dessins animés japonais de mon enfance, le ralenti est dramatique, le fond de l'air, lourd. Silence. L'insigne doré de l'agente attrape au vol un rayon de soleil et me le décoche dans l'œil comme un laser. Serai-je jetée aux crocodiles tel un légionnaire revenu bredouille de sa mission chez les Gaulois? «*Oooh. So you're ONLY the actress, huh?*» me lance-t-elle avec un savant mélange de mépris et de moquerie. Bon, j'avoue que ce n'était pas ma meilleure ligne. Pas même digne des *soap operas* issus de la terre qui attend ma venue. La petite actrice pure ne réussit pas à convaincre la vilaine douanière.

On ne badine pas avec la sécurité, aux *United States of America*.

L'œil torve, le corps tassé comme un espresso des lendemains de veille, le sourire par en bas, les rides d'une expression unique — la désapprobation —, l'agente des douanes est parfaite pour son rôle. À la seule différence qu'elle n'est pas derrière un comptoir de décor, que son uniforme n'est pas un costume et que nous ne jouons pas dans un film. Ou si oui, il est mauvais mauvais mauvais.

Pourtant quasi parfaitement bilingue, je sens mon anglais prendre le bord, le champ, foutre le camp.

La femme devant moi est diplômée des hautes écoles d'intimidation et est passée maître dans l'art d'acculer au pied du mur.

Le rouge aux joues, je n'arrive pas à expliquer que je ne mens pas, que je n'ai rien à cacher, pas même une contravention impayée. Aucuns arrérages d'impôt. Pas d'injection de Botox à déclarer. Pourquoi donc est-ce que je me sens comme si j'avais tué quelqu'un ?

La porte m'est montrée de façon expéditive, avec un ton assez agressif même. On ne me donne pas de détails sur la suite des choses. Suite y aura-t-il seulement ou suis-je en train de marcher vers ma perte? Je crains le pire, la fin de tout. Adieu rêve américain. Adieu majestueuses lettres blanches. Adieu veau, vache, cochon, couvée.

Menée dans une vaste salle impersonnelle éclairée au néon où tous semblent parfaitement calmes et aucunement troublés d'être considérés *persona non grata* dans leur propre pays, je m'assois du bout des fesses sur un des sièges de cuir bleu foncé. Livide, j'ai le cœur qui ne sait plus s'il doit sortir de sa cage ou rester en place et poursuivre ses battements, me forçant ainsi à vivre cette atroce situation. Contrôlée. Je serai contrôlée, moi, l'étudiante modèle.

La confiance solidement ébranlée, je n'ose croiser le regard de personne, de peur de me faire prendre en défaut pour quelque chose que je ne sais pas que je n'ai pas le droit de faire. Les menottes moites enfouies dans mon sac à main heureusement démesuré, je donne tout de même du texto frénétiquement pour alerter — en vain — mon agent. Je cache mon geste répréhensible. L'est-il seulement ? Je crains de poser la question.

Pendant ces minutes qui s'écoulent aussi aisément qu'un Blizzard Oréo dans une paille trop petite, je suis une paria.

Je ne sais plus à quel saint me vouer. Et je pleure. De peur. De fatigue. De nervosité. Je pleure, en proie à une crise d'hypoglycémie, parce que j'attendais le passage des douanes pour me payer un muffin à 12 $ avant l'embarquement.

Je cherche, fouille, interroge mes souvenirs. Ai-je quelque chose à cacher ? Y a-t-il un squelette dans mon placard ? Un cadavre dans le tiroir de ma mémoire ? Des ossements dans ma valise ?

L'agente des douanes est-elle la réincarnation de Maurice, ce poisson rouge mort par ma faute ? Ayant mis trop d'eau dans son bocal, j'ai rendu funeste un saut qui l'a précipité vers l'abîme. Suis-je coupable de cette générosité ?

« Je pleure, en proie à une crise d'hypoglycémie, parce que j'attendais le passage des douanes pour me payer un muffin à 12 $ avant l'embarquement. »

Les Blais, ces enfants aux yeux très bleus et à l'énergie débordante que je gardais jadis, m'ont-ils vendue ? Ont-ils rapporté cette fois où ils m'ont pincée en train d'engloutir une rangée complète de biscuits aux pépites de chocolat devant un film douteux ?

Leurs parents avaient-ils installé une caméra dans la pharmacie de la salle de bain pour mieux me surprendre à fouiner dans son contenu et à sentir les échantillons de parfum ?

Mon père a-t-il fini par découvrir que j'arrondissais mes fins de mois en pigeant allègrement dans son « pot à cennes » ?

Suis-je la réincarnation de l'agent du FBI qui a caché des éléments de preuve dans la hacienda de Brentwood où Marilyn Monroe a poussé son dernier souffle cette nuit du 5 août 1962 ?

Traquée, loin des miens, je m'imagine transportée dans une prison insalubre: de l'eau vaseuse et un quignon de pain noir en guise de petit-déjeuner. Je ne mérite pas mieux. Une moins que rien de l'Union des Artistes, munie d'un diplôme pour «jouer». Quel statut risible. Un visage sans chirurgie. Une ancienne porteuse de broches qui a gâché son traitement en omettant de mettre son *mouthpiece* la nuit parce que «ça faisait trop mal, votre honneur!»

Là est mon crime. Une voleuse, menteuse et gourmande. Une fouineuse, cachottière et paresseuse aux dents croches. Une tueuse de poissons.

Je suis démasquée.

Je vois le portrait d'ici: Guantánamo, les tiques, les poux. Pire, la gale. Pas d'eau potable au bout du tunnel. Pas de salut, pas de quartier. Madame La Mort à mes trousses, qui brandit mon futile diplôme d'interprétation en hurlant de son rire démoniaque, faisant voir ses dents pourries, chicots dégarnis comme autant de mannequins frêles de L.A. «Tu voulais pas aller à l'école, hein? Ben, c'est tout ce que tu mérites! Mouhahahahaaaaa!»

«Kathryn True-do?» Une voix de moustachu me sort de ma torpeur.

Mes cliques, mes claques, ma léthargie et moi allons nous asseoir dans ce petit bureau beige où il nous attend. Ou était-il gris? Bleu pâle? Qu'importe.

L'agent baraqué me pose deux questions avec son accent de Yankee: «*What are you going to do in L.A.?*» et «*When are you coming back?*»

Je réponds le plus simplement, sans détour, n'ayant plus rien à perdre. La lame de la guillotine chatouille mon cou perlant de sueur, autant trépasser dans la franchise.

Il tamponne mon passeport et me le tend. «*You're free to go.*»

Choc. Stupeur. Douche fraîche et salutaire sur mon corps trempé.

Il a bien dit : *free*? Libre ? Je suis libre.

Blanchie de tout. De mes crimes les plus inavouables.

Même de ceux que je n'ai pas commis. Les États-Unis d'Amérique me rendent ma liberté, m'absolvent de tout blâme. Je viens de jouer là mon plus grand rôle, celui de l'étrangère importune et indésirable, devenue l'héroïne graciée, pardonnée de tous ses péchés.

Je quitte cette zone de transit américaine avec des rêves de tenues glamour pour la soirée des Oscars. D'autant que le stress vient de me faire perdre quelques grammes.

Los Angeles, here I come! Tous les espoirs me sont permis.

J'ai raté mon vol, mais ça, on s'en fout.

Je n'ai tué personne.

Comédienne, animatrice, chroniqueuse et même auteure à ses heures, Catherine Trudeau est une communicatrice ! Au cinéma, on a pu la voir dans de nombreux films, tels que : *La loi du cochon*; *Séraphin, un homme et son péché*; *L'ange de goudron*; *Le Survenant* ou bien encore *L'enfant prodige*. Au petit écran, on se rappellera d'elle interprétant l'irréductible Lyne-la-pas-fine dans la série *Les Invincibles*. Plus récemment, on l'a retrouvée dans *La vie parfaite*, *Mémoires vives*, *Mirador* et *Ruptures*. Catherine est aussi porte-parole du Prix Jeunesse des libraires du Québec.

COMME LA FOIS OÙ J'AI JOUÉ AU BALLON-CHASSEUR DANS L'ÉQUIPE DES COUPLES.

PAR CAROLINE ALLARD

J'ai l'habitude de dire que je n'ai jamais fait de sport avant de me mettre à la course à pied à trente-neuf ans. Mais c'est faux. En sixième année, je jouais au ballon-chasseur avec les gars.

J'étais dans la ligue des gars parce que les filles ne jouaient pas vraiment au ballon-chasseur sur l'heure du dîner. Au mieux, elles jouaient un midi sur trois, pour faire changement des promenades dans la cour avec leur meilleure amie ou parce qu'elles étaient tannées du ballon-poire. Ce n'est pas que je n'aimais pas le ballon-poire. J'aimais pas mal ça, mais pas autant que le ballon-chasseur. J'avais aussi une meilleure amie. Rétrospectivement, j'imagine qu'elle devait me trouver un peu sans-cœur, le midi, parce qu'au lieu de jaser avec elle en arpentant la cour bras dessus, bras dessous comme les dames du temps jadis, je jouais au ballon-chasseur.

Aussi, je m'intégrais bien au sérail masculin du ballon-chasseur parce que j'étais bonne. Je lançais fort et je visais bien. Pas LA meilleure, n'exagérons rien. Gilles, Dominic et Marc, c'étaient les plus forts. Mais j'étais solide. Quand venait le temps de faire les équipes, j'étais choisie tout de suite après la Sainte Trinité.

Une des différences entre jouer avec les gars et jouer avec les filles, c'était l'étiquette. Les filles, il ne fallait pas leur garrocher le ballon trop fort, sinon elles le prenaient personnel et tu passais deux-trois jours à te faire parler dans le dos. Dans la ligue des gars, on ne respectait pas le caractère sacré du corps humain; on combattait l'adversaire avec la force la plus brutale. À l'attaque, on sentait le ballon quitter notre paume à pleine vitesse, zoum! En tant que cible, on le prenait en plein ventre, whoof!, on se pliait en deux pour absorber le choc, on échappait le ballon ou on le retenait, parfois on oscillait entre les deux pendant quelques secondes de gros suspense... Je suis facilement impressionnable, mais je trouvais ça assez exaltant.

Bref, pour moi, jouer au ballon-chasseur avec les gars, c'était la grosse affaire.

J'ai parlé de Gilles (tout en nerfs, celui qui lançait le plus fort), de Dominic (un stratège, celui qui décelait les points faibles de n'importe quelle équipe adverse) et de Marc (il pouvait être partout à la fois sur le terrain, un petit vite). Mais je n'ai pas parlé de Simon.

Simon était beau. Il était bon au ballon-chasseur, lui aussi, mais il était surtout beau. Cheveux blond caramel, yeux bleus, visage angélique... Ça paraissait que la mère de Simon trouvait son garçon beau, elle aussi. Elle l'habillait bien. Aujourd'hui, je suis mère, je peux le dire: il portait le genre de vêtements qu'un parent achète pour être fier du look de son enfant. Rien à voir avec les *jeggings* que j'achète en vitesse à mes filles à l'Aubainerie quand je me rends compte qu'elles ont eu une poussée de croissance durant la fin de semaine. Le linge de Simon était soigné. B.C.B.G. Je viens de la campagne; dans le temps, je ne savais pas ce que ça signifiait, B.C.B.G., mais aujourd'hui, j'ai voyagé en Europe et je peux le dire: Simon était B.C.B.G. — B.C.B.G. du genre La Baie, mais B.C.B.G. quand même.

Simon aussi jouait au ballon-chasseur avec les gars, mais je n'étais pas « dans sa ligue ». Amoureusement parlant, tout nous séparait. Il faut dire qu'au primaire comme ensuite, « tout » se résume souvent à deux ou trois critères. Le plus important: l'équivalence de beauté physique. Beau comme il l'était, impossible que Simon sorte avec une fille ordinaire; or, j'étais une fille ordinaire. Notre style vestimentaire n'était pas en harmonie non plus: il aurait pu être mannequin dans la section « Enfants » d'un catalogue, alors que moi, c'est ma grand-mère qui confectionnait mes vêtements. Aujourd'hui, je sais que j'étais plus haute couture que lui, mais dans mon esprit de fillette, ma grand-mère n'avait aucune chance contre La Baie. Il y avait aussi la question de la proximité. Simon habitait au village, juste à côté de l'école; moi, à la campagne. Quand on a dix ans, ça compte, ces affaires-là. À quoi bon sortir ensemble si on ne peut pas aller frencher dans un racoin de la cour d'école le samedi matin, pour raconter le tout en détail à nos amis le lundi d'après à l'école ?

D'un point de vue romantique, donc, une union n'était pas envisageable. Mais à vrai dire, je m'en fichais. Mon genre, c'était plutôt Dominic-le-stratège. Mais c'était un stratège timide, comme moi d'ailleurs. Il ne se passerait jamais rien entre nous, à part devenir amis Facebook trente ans plus tard.

Bref, je ne pensais pas du tout à Simon comme à un *prospect*, mais cela dit, j'étais jalouse de lui. Jalouse, je pense, du fait qu'il était privilégié et qu'il ne semblait pas l'ignorer tout à fait. Quelques années auparavant, j'avais même volé une de ses effaces. Quoi de plus ordinaire qu'une efface à l'école primaire ? La mienne, en tout cas, l'était. En milieu d'année, après quelques mois de mauvais traitements, elle avait l'air d'une vieille gomme à mâcher usagée — marques de dents incluses — qui aurait passé une semaine dans les botterlots que mon père mettait pour aller faire le train. Mais Simon, lui, en plein mois de février, a eu le culot d'exhiber une efface toute neuve. Une gomme à effacer rose-peau-qui-ne-fera-jamais-d'acné, en forme de parallélogramme, sur laquelle sa mère avait écrit son nom au stylo bleu avec une écriture de mère tellement fière de son fils que ça transparaissait même sur ses maudites effaces. Je ne sais pas comment le dire autrement: l'efface de Simon rayonnait.

Un jour, alors qu'elle était posée juste là, sur le coin de son bureau, avec son air effronté d'efface qui a réussi à conserver sa virginité jusqu'au mois de février, je l'ai volée. Mais je ne pouvais pas m'en servir ! Avec le nom du beau Simon écrit dessus avec tellement d'application que j'en avais une boule dans le ventre, tout le monde aurait bien vu que ça n'était pas la mienne. Pour régler le problème, je l'ai défigurée. J'ai barbouillé tout le dessus de l'efface avec mon crayon à l'encre et j'en ai rajouté une couche au crayon-feutre. J'ai gratté le nom de Simon avec la lame de mes ciseaux à bouts ronds. À la fin, elle était méconnaissable, hideuse. Mais Simon a quand même reconnu son efface. Il l'a vue sur mon bureau, m'a regardée dans les yeux, m'a demandé si c'était la sienne. J'ai dit que non, franchement. Il n'a pas insisté, mais j'ai vu dans son regard qu'il ne me croyait pas. D'une manière ou d'une autre, l'efface rayonnait toujours. Le cœur me débattait, le front et les joues me brûlaient d'avoir été découverte, et pour finir, je l'ai jetée à la poubelle, sa maudite efface.

Mais cette histoire de gomme à effacer était morte et enterrée en sixième année, l'année où la grosse affaire pour moi était que je jouais au ballon-chasseur avec les gars. Jusqu'à ce qu'une plus grosse affaire arrive.

Un jour, quelqu'un a eu l'idée d'allier la nouveauté au classique. La nouveauté, c'était les couples qui commençaient à se former entre les jeunes de notre âge — couples qui désignaient sans équivoque ceux qui étaient, plus que les autres, prêts à entrer au secondaire par la grande porte de la puberté. Le classique, c'était les parties de ballon-chasseur. Bref, quelqu'un qui gagne sans doute aujourd'hui très bien sa vie comme génie marketing a avancé l'idée de faire des parties de ballon-chasseur « couples contre célibataires ».

« Mais Simon, lui, en plein mois de février, a eu le culot d'exhiber une efface toute neuve. »

Personnellement, je n'étais pas intéressée. Le calibre de leurs matchs n'était tout simplement pas assez élevé. Je regrette de le dire, mais c'était à cause des filles. Je sais, ça n'est pas *politically correct*, mais il y avait une raison scientifique derrière ce phénomène. Les filles les plus pressées d'être en couple, c'étaient les fifilles, celles qui se maquillaient déjà, qui portaient des bijoux, qui s'habillaient un peu plus pitounes que la moyenne. N'était-ce qu'à cause de leurs vêtements trop serrés, ces filles-là étaient nulles en sport. Certes, elles sortaient avec des sportifs (les meilleurs ou les plus mignons), mais ça ne suffisait pas vraiment à relever le niveau du jeu. Et dans les célibataires, il y avait qui, vous pensez ? Réponse: le monde qui voulait être en couple. Vous voyez le topo: des gars et des filles que le ballon-chasseur n'intéressait pas du tout commençaient à y jouer pour pouvoir se positionner comme couple ou comme célibataires intéressés à être en couple. Les autres joueurs, en général des gars qui aimaient vraiment le ballon-chasseur, n'en avaient rien à cirer de ces enjeux périphériques aux parties (lire: se matcher). Ils continuaient donc à jouer sur un autre terrain, et moi aussi.

Puis un jour, Nadine (maquillée, bijoutée, pitounée, une potineuse née pour s'épanouir en entremetteuse de sixième année) m'a emmenée dans un coin de la cour d'école pour m'annoncer quelque chose de complètement fou. Elle venait de la part de Simon. Il m'aimait, qu'elle disait, et il voulait sortir avec moi.

Je capotais.

Simon, avec sa belle face et ses belles effaces, voulait sortir avec moi ! La première question qui m'est venue à l'esprit, c'est: mais pourquoi diable ? J'étais ordinaire, j'habitais dans un rang, ma grand-mère m'habillait... Mais ma perplexité n'a duré qu'un bref instant, une toute petite demi-seconde. Aussi bien l'avouer, j'ai dit oui tout de suite.

C'est comme si j'avais accepté une demande en mariage d'un prince convoité de la région. J'étais Romy Schneider dans *Sissi impératrice*, même si Sissi avait une longueur d'avance sur moi vu qu'elle était déjà princesse ou quelque chose du genre. Moi, j'étais une simple roturière. Dans la trame habituelle des intrigues de sixième année, quel revirement sensationnel ! Toutes les filles les plus populaires venaient me féliciter et me demander comment je me sentais. On aurait pu me conseiller sur la couleur dont je devais repeindre notre petit salon au château ou sur le prénom à donner au futur bébé royal, je n'en aurais même pas été surprise. J'avais pénétré dans une autre dimension. J'étais en couple ! Avec Simon ! J'avais la tête qui tournait. Toutes les suggestions étaient les bienvenues.

Ce qui m'aurait le plus rendu service sur le coup, mais que je n'ai pas osé demander, c'était une réponse à la question: maintenant, qu'est-ce qu'il faut que je fasse, au juste ? Parce que je n'avais pas trop le choix. Il fallait que je parle à Simon. *Euh, salut... Ça fait que, comme ça... tu m'aimes ? OK. Mais là... euh... Qu'est-ce qu'on fait ?*

Ce qu'on a fait, c'est qu'on s'est mis à jouer au ballon-chasseur dans l'équipe des couples. C'était vraiment bizarre. J'ai déjà parlé de l'étiquette chez les filles; je ne sais pas si vous pouvez vous imaginer l'étiquette dans l'équipe des couples. C'était très complexe. Les filles en couple étaient en quelque sorte sous la protection de leur cavalier. Est-ce que je devais me mettre sous la protection de Simon ? Ç'aurait été absurde parce que j'étais une excellente joueuse, meilleure que lui, même. Mais alors, est-ce que je devais, moi, le protéger ? Et dans un tel cas, qu'adviendrait-il de sa virilité ? Ce qui compliquait encore les choses, c'est que Nadine, l'entremetteuse, était aussi l'ex de Simon et jouait à présent dans l'équipe des célibataires. Est-ce que j'avais le droit de lancer le ballon sur elle de toutes mes forces ? Serait-ce perçu comme de l'insécurité affective ou bien comme frapper quelqu'un qui est déjà par terre ?

Je voulais être parfaite pour Simon, mais tous ces nids-de-poule protocolaires plombaient ma *game*. Je suranalysais chaque mouvement. Tout à coup, je lançais mollement, je visais mal, je ne savais plus où me placer sur le terrain. J'étais malheureuse, mais je ne l'aurais jamais avoué, même pas à moi-même. C'est fou ce que ça peut faire, l'amour !

Et puis, au bout d'une semaine, Simon m'a sacrée là. C'est Nadine qui a cassé en son nom, me confiant sur un ton délicieusement apitoyé que Simon avait voulu sortir avec moi non pas parce qu'il m'aimait, mais juste pour pouvoir retourner jouer dans l'équipe des couples avec son ami Éric, qui sortait, lui, avec Nathalie. Quel être méprisable, ce Simon, n'est-ce pas ? La preuve en était, me raconta Nadine, qu'avant de se rabattre sur moi, il avait tenté de reprendre avec elle, mais elle avait refusé. Par orgueil.

La queue entre les jambes, je suis retournée jouer avec les gars. Simon, lui, a repris avec Nadine qui, par le fait même, a recommencé à jouer (maladroitement) au ballon-chasseur du bord des couples. Je me souviens qu'on s'est parfois retrouvés tous les trois ensemble pour faire des exercices de mathématiques. On était dans la même classe et tous bons en maths, à part moi quand il s'agissait de faire deux plus deux.

Quand j'ai commencé à écrire ce récit, je me voyais arriver à la fin avec une morale féministe : je parlerais de la fois où, à dix ans, j'ai appris que je n'avais pas besoin d'être en couple pour m'épanouir et qu'être dans un couple mal assorti pouvait même m'étioler jusqu'à l'étouffement. Mais à quoi bon essayer de vous en faire accroire ? Ça m'a pris bien plus que dix ans pour apprendre ça !

Non, au fil de l'écriture, c'est autre chose que j'ai réalisé. J'en ai voulu longtemps à Simon de m'avoir instrumentalisée (j'ai toujours eu la rancune tenace). Mais est-ce que je n'avais pas fait exactement la même chose de mon côté ? Je n'étais pas Sissi l'impératrice, au contraire. J'avais, comme Simon, fait un mariage de raison. J'avais laissé tomber mon équipe habituelle de ballon-chasseur non pas par amour, mais pour grimper un peu plus haut dans l'échelle sociale des sixièmes années. La morale de cette histoire, finalement, a plus à voir avec l'authenticité. Faire quelque chose juste pour pouvoir péter plus haut que le trou, c'est comme voler une efface en sachant qu'on sera obligé de la ruiner pour pouvoir la garder dans son coffre à crayons. On en ressort un peu tout croche, un peu tout sale, en espérant que personne ne trouvera l'efface au fond de la poubelle quand on aura décidé de passer à autre chose.

Bon, d'accord, j'avoue. Tout ça, c'est n'importe quoi. La vraie morale de cette histoire, c'est: ne volez pas de gomme à effacer, c'est juste pitoyable.

Caroline Allard est habituée de tirer profit de ses proches pour (avec un peu de chance) vendre quelques livres. Elle a des enfants et a commencé à écrire *Les chroniques d'une mère indigne* (Hamac, 2007 et 2009) après un huit millième changement de couche. Elle a plus tard documenté les excentricités de sa fille cadette dans *Les chroniques d'une fille indigne* (Hamac, 2013). Elle a une vie sexuelle et a eu l'idée de *Pour en finir avec le sexe* (Hamac, 2011) en pratiquant un 69. Elle a aussi des cheveux et a élaboré l'intrigue d'*Universel Coiffure* (Coups de tête, 2012) pendant qu'un technicien au shampoing lui prodiguait malhabilement un massage du cuir chevelu. Étant elle-même une Germaine aguerrie, elle s'est inspirée de ses propres penchants à la domination pour rédiger *La Reine Et-que-ça-saute* (Fonfon, 2014). N'ayant jamais encore exploité ses anciens camarades de classe, c'est avec joie qu'elle a répondu « présente ! » à l'invitation de l'équipe de *Comme la fois* — tout en espérant secrètement que Simon ne lira jamais ce récit.

COMME LA FOIS OÙ JE SUIS ALLÉ CHEZ LE MÉDECIN.

PAR SAMUEL CANTIN

La douleur perçante à la poitrine était apparue très tôt, mais le trou au thorax, lui, n'avait probablement commencé à se creuser que depuis deux ou trois jours. C'est très difficile d'être absolument précis dans ce genre de chose. Les trous dans le thorax.
Je faisais d'horribles cauchemars. Me revenaient les images de ces deux jeunes hommes — des étudiants membres d'une confrérie universitaire américaine — que j'avais vus dans un jeu télévisé; je devais avoir neuf ou dix ans. L'un d'eux avait une mystérieuse cavité au niveau du sternum. Il s'était couché sur le dos et l'autre — j'ose à peine le dire, tant c'est effrayant — s'était mis à manger des céréales dans son creux thoracique. Avec le lait, la cuillère et tout et tout. Des Froot Loops. Les spectateurs étaient en délire: ils l'ont soulevé comme un petit roi et ont fait le tour du studio en le portant bien haut et en scandant son nom américain.
Était-ce possible qu'une décennie plus tard, à tout juste vingt ans, en apparence frais comme une rose, lisse comme une pêche, ces phobies enfantines se matérialisent finalement sans crier gare???

*Note C'était il y a longtemps, vous pardonnerez la coupe de cheveux un peu démodée, mais je vous en prie, regardez donc de vieilles photos de vous pour le fun, avant de juger les gens, hein? D'accord? On va faire ça. Vous aviez l'air de quoi vous au milieu des années 2000, hein? Qu'on me lance la première pierre! Non, mais eille! Les gens de nos jours!

Ainsi, cette douleur lancinante que j'éprouvais la nuit et ces bruits grinçants de lourdes mécaniques mal huilées qui me réveillaient sans cesse n'étaient pas que le fruit de mon imagination: le thorax s'effondrait bel et bien vers le centre, et bientôt ce serait moi, cet étudiant bêtement étendu par terre sur lequel on mangerait des céréales en souriant à la caméra.

* Note: Si cela devient absolument nécessaire, trouver tout de même un autre truc que le bol de céréales humain, c'est tellement éculé et, au fond, si cave.

La tension montait autour de moi, on craignait pour ma vie. Je sentais les gens à bout de nerfs, facilement irritables, ils étaient rongés par l'inquiétude, ça se voyait:

Après ce qui me sembla, à l'époque, près de vingt minutes d'attente, une infirmière me conduisit vers une petite pièce sans fenêtre – une prison vraiment – où l'on m'ordonna d'enfiler la jaquette fatidique. J'attendis là, suant abondamment, tremblant, souffrant, m'évanouissant à quelques reprises, pendant ce qui me sembla bien être un autre dix minutes sans eau ni nourriture – je dois pourtant exagérer, cela m'apparaît fou, inhumain, maintenant que je l'écris bien des années plus tard – avant que le Docteur Von Strudel n'arrive en trombe dans la petite pièce. Il suait à grosses gouttes, il avait l'air d'une grosse truite ruisselante.

Il ne mit pas de gants blancs pour m'exposer la situation. (Bien que j'en voyais une paire dépasser de la poche de son sarrau. Le monstre.)

Il me soumit à un interrogatoire serré :

J'vais décider des questions ici si ça te dérange pas, OK, mon gars?

Oki, boss.

Est-ce qu'il y a un historique de problèmes cardiaques dans ta famille?

Non.

Consommes-tu de la cocaïne à l'occasion?

Est-ce que je vais aller en prison si je dis oui?

Non.

Non, j'en ai jamais fait, ça me fait trop peur.

Une fois satisfait de ses petites questions pernicieuses et insolentes, il sortit le stéthoscope (je sais, quel cliché de médecin, vous auriez dû le voir, il avait l'air d'un véritable idiot), puis il eut peut-être la réaction la plus effrayante qu'un médecin ait jamais eue en écoutant mon coeur de près:

Redoublant de sueurs gluantes et franchement dégoûtantes, le Docteur Von Strudel se perdit alors en explications confuses:

Il bondit ensuite hors de la pièce en prétextant à nouveau cette sombre histoire de dame coupée en deux pendant qu'une infirmière me branchait partout partout, avec de petits autocollants reliés à des fils et des fils reliés à une machine; tout cela était très futuriste.

Puis on me laissa seul pendant une période de temps que j'estime raisonnablement à environ quatre ou cinq heures. J'étais en jaquette, couché sur le papier qui se froissait sous mon dos, puis j'eus le malheur de tourner la tête vers le mur.
Dans le Gyproc, avec un sou noir, un maniaque avait bêtement gravé mon destin. J'étais fixé:

En pleurant en silence, je repensais aux bons et aux mauvais coups, ces parties de bridge gagnées, ces parties de Parcheesi perdues, ces parties de Mille Bornes qui n'avaient jamais été complétées... C'était un bilan horrible, je n'avais rien accompli; quelle mascarade tout cela avait été! Je repensais à cette vieille truite gluante et puante qu'était le Docteur Von Strudel, dans la pièce d'à côté, tentant en vain de recoudre en un une femme en deux, et j'aurais voulu aller l'interrompre, lui dire d'arrêter toute tentative, car à quoi bon? Nous mourrons tous d'un trou dans la poitrine de toute manière.

Puis la vieille truite entra et me lança ces paroles opaques:

Il tenta de s'enfuir sournoisement vers ses deux moitiés de dame, mais je me jetai sur lui d'un bond habile. Il me glissa des mains six ou sept fois avant que je réussisse à lui mettre la main au collet.

Je le déposai et le fis rapidement glisser vers l'autre côté du corridor. Il ne fallait pas badiner: il y avait une dame coupée en deux dans l'autre pièce.

-Samuel Cantin 2015-

Samuel Cantin naît à Sherbrooke en 1986. Après des études de cinéma et de littérature, il entame en novembre 2010 un blogue de bande dessinée intitulé *Phobies des moments seuls, le journal du docteur Marcus Pigeon (sur la station spatiale internationale)*, qui paraît en livre l'année suivante aux Éditions Pow Pow. En mai 2013, poursuivant dans le même humour décalé et grinçant, il publie sa deuxième BD, *Vil et misérable*, toujours chez Pow Pow. Samuel travaille à son troisième livre, à paraître à l'automne 2015. Il habite Montréal.

COMME LA FOIS OÙ ON A ESSAYÉ D'ÊTRE UN COUPLE OUVERT.

PAR JEAN-FRANÇOIS ASSELIN

TITRE À L'ÉCRAN SUR FOND NOIR:

<u>COMME LA FOIS OÙ ON A ESSAYÉ D'ÊTRE UN COUPLE OUVERT.</u>

UN FILM DE JEAN-FRANÇOIS ASSELIN

BASÉ SUR UNE HISTOIRE VRAIE

1 **EXT. STATIONNEMENT DU CLUB CÉLESTE – SOIR** 1

Une voiture s'immobilise dans le stationnement d'Attaches Montréal. À l'intérieur, JEAN-FRANÇOIS et JULIE, début trentaine, poids proportionnel à leur taille, regardent l'affiche du **Club Céleste** – un club échangiste – située juste en dessous de l'immense enseigne lumineuse d'**Attaches Montréal** et de son logo en forme d'attache-remorque. Ils sont anxieux.

JEAN-FRANÇOIS
Ben oui, c'est ici.
(pointant l'affiche du Céleste)
Regarde.

JULIE
Un club échangiste au-dessus d'un vendeur de boules à *trailer*…?!

JEAN-FRANÇOIS
(pour détendre l'atmosphère)
Pour ceux qui veulent se faire piner… C'est parfait!

Julie ne rit pas. Jean-François le remarque.

JULIE
Pour vrai, on s'en va.

JEAN-FRANÇOIS
Ben voyons…

JULIE
(hésitante)
C'est sûr que ça va être juste des gros pis des vieux.

JEAN-FRANÇOIS
Ben non, sur le site y'avait plein de belles filles.

Julie sourcille.

JEAN-FRANÇOIS
Pis de beaux gars.

JULIE
(rappelant les règles)
On fait juste regarder, hein? Pas touche.

JEAN-FRANÇOIS
Comme on s'est dit.

JULIE
(étirant le bras pour illustrer la distance acceptable)
Pas de pénis étranger dans un rayon de trois pieds d'une quelconque partie de mon corps. Pis aucune apparition-surprise du tien.

JEAN-FRANÇOIS
(à la blague)
Pis les pénis plus familiers? Genre si on croise ton père ou un oncle?

JULIE
OK, on s'en va.

JEAN-FRANÇOIS
Je niaisais.

JULIE

(mi-baveuse, mi-sérieuse)

Tes jokes, garde-les pour les vieux mononcles en haut.

JEAN-FRANÇOIS

(pour la convaincre)

Ça sera pas des mononcles, tu vas voir.

Ils sortent de la voiture.

2 **INT. ACCUEIL ET BAR DU CLUB CÉLESTE – SOIR** 2

UN HOMME CHAUVE ET BEDONNANT, qui a tout du mononcle classique, les accueille à l'entrée.

HOMME À L'ACCUEIL

Bonsoir les amis !

Jean-François n'ose pas se retourner vers Julie qui le regarde avec des yeux pleins de « Je te l'avais dit ! »

HOMME À L'ACCUEIL

Vos noms ?

Silence. Ni Jean-François ni Julie n'osent répondre. Malaise.

JULIE

Euh…

(impulsive)

Richard et Monique.

Jean-François fige.

HOMME À L'ACCUEIL
Bienvenue Richard et Monique.
(blagueur)
J'espère que le Céleste va vous emmener au septième ciel.

L'homme rit de sa blague. Notre couple l'accompagne en riant à retardement, un peu faussement et un peu trop.

HOMME À L'ACCUEIL
Vous allez régler comment?

En déposant sa carte de crédit, Jean-François constate que celle-ci dénonce ouvertement le subterfuge: elle est à son vrai nom. Julie l'a remarqué, elle aussi, et feint d'analyser la matière du comptoir avec son pouce. Mais sa face d'enfant de cinq ans et demi qui s'est fait prendre à mentir la trahit.

3 **INT. BAR ET PISTE DE DANSE DU CLUB CÉLESTE – SOIR** 3

Nos héros s'avancent vers le bar près d'une piste de danse typique des années 80 avec boule miroir, machine à boucane, plancher en damier, lasers verts, etc.

JEAN-FRANÇOIS
(n'en revenant pas)
Richard pis Monique?

JULIE
(gênée, se justifiant)
On a tellement parlé de mononcles que j'ai pensé à… mon oncle Richard… pis ma tante Monique.

JEAN-FRANÇOIS

(feignant de vomir)

Ark. L'image de ton oncle pis d'ta tante…

(ironique)

… me met dans le *mood*.

JULIE

Tu voulais qu'on donne nos vrais noms pis que tout le monde sache qu'on est venus ici?

JEAN-FRANÇOIS

(avec un brin de condescendance)

Les seules personnes qui sont susceptibles de savoir qu'on est ici sont ici, donc ça s'annule. Parce que si on croise quelqu'un qu'on connaît, même sous une fausse identité, y va nous reconnaître, t'sais.

À court d'arguments, Julie roule les yeux avec exaspération et entraîne Jean-François vers le bar. UNE SERVEUSE, cinquantaine, petite bedaine à l'air, au visage plus jovial que joli, s'approche d'eux.

SERVEUSE

Qu'est-ce qu'on peut vous servir les tourtereaux?

JULIE

Un verre de vin blanc. Chardonnay?

SERVEUSE
Désolée, on sert pas d'alcool,
on n'a pas de permis.

Tétanisée par la nouvelle, Julie blanchit, littéralement. Jean-François étudie le menu peu varié sur l'enseigne Coke *circa* 1982: liqueurs, bière sans alcool et jus de tomate.

JEAN-FRANÇOIS
Je vais prendre une
bière sans alcool.

Dans un état catatonique, Julie ne peut parler.

SERVEUSE
(à Julie)
Je peux te faire un Seven Up
grenadine, si tu veux?

Julie ne répond pas.

JEAN-FRANÇOIS
(à la serveuse, trop
enthousiaste)
Bonne idée!

La serveuse s'éloigne pour préparer leur commande.

JULIE
(encore sonnée)
Y-a-pas-d'alcool. Ta-bar-nack.

JEAN-FRANÇOIS
C'pas grave, on n'est pas
venus ici pour se saouler.

JULIE

(toujours sonnée)

C'est pas que je suis pas *game* dans' vie, mais dans mon plan de match, y'avait de l'alcool pour me mettre dedans.

JEAN-FRANÇOIS

Parce qu'avec un verre de vin, tu serais plus dedans?

JULIE

J'allais commander la bouteille. Plus une tournée de *shooters*.

Échange de regards complices entre les deux. La caméra s'attarde aux gens sur la piste de danse.

*** Note pour la figuration: 85 % ont entre 40 et 80 ans. Il n'y a qu'un couple de 25-30 ans et il est entouré de couples plus âgés qui le regardent avec des yeux cochons. Les 60 ans et + se masturberont dans les coins des chambres aux fantasmes à la scène suivante. Pour le poids: 70 % sont en surplus de poids, 10 % ont un poids santé, 10 % sont minces et 10 % souffrent d'obésité.*

Nos amoureux sont traumatisés devant la faune environnante.

JEAN-FRANÇOIS

(pour se convaincre)

Les beaux échangistes viennent sûrement pas ici pour danser… Y doivent être dans les chambres aux fantasmes.

JULIE
Les quoi?

JEAN-FRANÇOIS
(sachant trop bien)
Y'a comme des chambres avec des thèmes pour ceux qui veulent… vivre leurs fantasmes.

JULIE
(suspicieuse)
T'es déjà venu ou quoi?

JEAN-FRANÇOIS
Ben non, j'ai fait des recherches avant de venir.

Julie le dévisage.

JEAN-FRANÇOIS
(se justifiant)
Quoi? Histoire d'être préparé… Comme quand on part en voyage. Rappelle-toi en Corse, t'aurais ben aimé savoir/

JULIE
(le coupant)
Es-tu en train de faire un parallèle entre le Club Céleste pis la Corse?

JEAN-FRANÇOIS
(éclatant de rire)
Oui.

Julie rit, complice.

4 **INT. CORRIDOR ET CHAMBRES THÉMATIQUES DU CLUB CÉLESTE – SOIR** 4

Nos aventuriers avancent dans un corridor sinueux bordé de portes donnant sur des pièces thématiques. Gênés, ils échangent des regards courtois mais brefs avec les gens qu'ils croisent pour éviter tout malentendu. À un certain moment, ils passent près d'un beau couple et Julie, étonnée, détaille l'homme qui le remarque.

Ils s'arrêtent ensuite devant la salle aux miroirs qui est éclairée aux ultraviolets. Un homme, ou plusieurs hommes (ce n'est pas clair en raison des miroirs), se masturbe(nt) devant une femme, ou des siamoises reliées par le tronc (ce n'est pas clair en raison des miroirs). Peu impressionnée par ces illusions d'optique, Julie semble plutôt intéressée par l'épaule de son conjoint qu'elle se met à épousseter. Jean-François l'interroge du regard.

JULIE
(chuchotant)
T'as des pellicules…

JEAN-FRANÇOIS
(gêné)
Ben non, c'est des mousses de chandail ! Tu sais qu'y fait ça, ce chandail-là…

JULIE
Juste sur les épaules ?

Les ultraviolets, qui leur donnent un look de zombies, sculptent à merveille l'expression frustrée de Jean-François. Il détale, suivi par Julie.

JEAN-FRANÇOIS
J'haïs ça quand tu fais ça.

JULIE
(se justifiant)
Quoi? Tu veux que tout le monde voie que t'as des pellicules?

JEAN-FRANÇOIS
Parce que tu te soucies de l'opinion des vieux mononcles pis des vieilles matantes!?

JULIE
C'est pas parce qu'y m'excitent pas que ça me dérange pas ce qu'y pensent de nous.

Jean-François hoche la tête, n'en revenant pas.

JULIE
(s'excusant)
Pas d'alcool, c'est dur pour moi de… Je m'excuse. On continue.

Elle l'embrasse pour lui montrer sa bonne volonté. Ils repartent et se dirigent vers une pièce où trône un immense bain-tourbillon. Des hommes et des femmes nus s'y baignent, s'embrassent et se caressent. Julie a un haut-le-cœur.

JULIE
On sort… c'est dégueu.

JEAN-FRANÇOIS
Quoi?

JULIE
L'odeur d'eau de Javel.

JEAN-FRANÇOIS
C'est du chlore.

JULIE
Pas sûre, moi.

Elle s'éloigne, suivie par Jean-François qui la rejoint.

JULIE
(se justifiant)
Je peux pas me baigner dans une marre de sperme.

Jean-François la regarde, trouvant qu'elle exagère.

JULIE
Toi, tu te baignerais dans une piscine qui sentirait la noune?

Jean-François sourcille à l'idée. Il s'apprête à répondre.

JULIE
Laisse faire. Mauvais exemple. Je veux ben être open, mais ça, c'est dégueu. Avoue que c'était proche de l'odeur du sperme?

JEAN-FRANÇOIS
(un peu frustré)
Regarde, si tu voulais pas venir, t'avais juste à le dire. Je t'ai pas forcée, t'sais.

JULIE
Un peu.

JEAN-FRANÇOIS
(interloqué)
Quoi?

JULIE
Ben c'est plus un besoin à toi, ça: la nouveauté, l'envie de pimenter notre vie sexuelle…

JEAN-FRANÇOIS
Pis pas toi?

JULIE
Ben moi, je pense que les fantasmes sont pas faits pour être vécus, mais pour rester des fantasmes.

JEAN-FRANÇOIS
(de mauvaise foi)
Faque comme toi tu rêves d'aller en Italie… on ira pas parce que les rêves sont pas faits pour être vécus? Voyons!

JULIE
(légèrement condescendante)
C'est quoi toutes ces analogies de voyage à soir?!

Ils réalisent que leur chicane de couple dérange un peu quand une femme leur lance un regard qui dit clairement «*Get a* médiateur». Gênée, Julie ouvre la première porte à sa droite en entraînant Jean-François avec elle. Trop pris par leur discussion, ils ne remarquent pas que la pièce est un genre de donjon où se trouve une table de torture avec menottes intégrées, en plus d'un attirail de cordes, de chaînes et de fouets accrochés aux murs.

JEAN-FRANÇOIS
Je pensais que ça pouvait être cool qu'on vive ça à deux notre…

Il n'ose pas finir sa phrase.

JULIE
(sachant où il s'en va)
Notre quoi ?

JEAN-FRANÇOIS
Notre… goût des autres.

JULIE
(accusatrice)
« Ton » goût des autres, tu veux dire ? Historiquement, t'as eu plus de tentations que moi, disons.

JEAN-FRANÇOIS
Tu vas pas revenir sur un échange d'e-mails de v'là quatre ans ?

JULIE
(le reprenant)
Un an et demi.

JEAN-FRANÇOIS
C'était de la séduction niaiseuse. Y se serait jamais rien passé. Tu le sais, non ?

Julie ne répond pas.

JEAN-FRANÇOIS

Je vais te le redire: j'ai aucun doute que t'es la femme de ma vie, mais j'ai un doute qu'on peut coucher toute notre vie avec la même personne. Je pensais que venir ici, c'était un bon compromis pour éviter d'être infidèle pis de se mentir.

Julie reste silencieuse.

JEAN-FRANÇOIS

Je pensais que ça pouvait t'exciter toi aussi de regarder d'autres baiser. T'oses pas le dire, ni le proposer, mais c'est qui qui jouit en deux secondes quand j'insiste pour mettre un film porno?

Julie rougit et baisse les yeux. UN HOMME MASQUÉ, attaché à une chaîne qui le relie au sol, sort de la pénombre. Notre tandem sursaute!

JULIE

(effrayée)

AHHH!

HOMME MASQUÉ

(poli et courtois)

C'est possible d'aller vous chicaner ailleurs? C'est parce que j'attends quelqu'un.

Humilié, notre duo obéit et sort. Une fois à l'extérieur, nos deux complices se regardent et ne peuvent se retenir de rire. Julie prend la main de son copain pour lui montrer ses bonnes intentions.

JULIE
On essaie de trouver le couple avec le beau gars qu'on a vu tantôt?

JEAN-FRANÇOIS
Où ça? Quel beau gars?

JULIE
Ben celui qu'on a croisé juste avant le palais des glaces.

Julie repart dans le corridor sinueux et sombre pour éviter les sourcils interrogateurs et jaloux de son copain. Elle s'arrête devant un mur noir percé de multiples trous qui attire son attention. Curieuse de nature, Julie se penche pour regarder dans l'une des ouvertures. Quand elle s'approche de l'embrasure, un pénis en érection en sort au même moment, venant percuter son œil aventureux. L'impact la fait sursauter et crier.

JULIE
QUESSÉ ÇA?!

Elle s'enfuit en prenant Jean-François par le bras. Lui ne peut se retenir de rire.

JULIE
Y'est ben malade de mettre ça là-dedans!

JEAN-FRANÇOIS
(expliquant, tout sourire)
C'est un *glory hole*. C'est fait pour ça.

JULIE
Un quoi?

JEAN-FRANÇOIS

Laisse faire.

5 **INT. CORRIDOR ET CHAMBRES THÉMATIQUES DU CLUB CÉLESTE – SOIR** 5

Nos deux protagonistes se sont arrêtés devant une pièce à la décoration intrigante, voire dérangeante, alliant l'Orient (paravent et inscriptions chinoises), l'Inde (coussins au sol) et le Far West (portes battantes à l'entrée). Deux couples début trentaine baisent avec sensualité dans un ballet de mouvements relativement bien coordonnés et sentis. Ils sont tombés sur le 1 % des clients du club les mieux nantis en termes de beauté et d'élasticité de la peau. Jean-François remarque le regard soutenu de Julie.

JEAN-FRANÇOIS

(chuchotant)

Y sont beaux.

Julie hoche la tête pour acquiescer. Le *mood* a changé. Il y a de la sensualité, du sexe et de l'excitation dans l'air.

JEAN-FRANÇOIS

On entre?

Julie l'interroge du regard.

JEAN-FRANÇOIS

En restant à trois pieds.

Ils entrent et s'installent dans un coin de la pièce. Julie se colle sur son copain. Lors d'un échange de partenaire, une participante du *foursome* remarque l'arrivée du couple. Jean-François épie sans gêne le spectacle alors que Julie observe du coin de l'œil. Nos tourtereaux se regardent, émoustillés. Julie fait un sourire lubrique à son homme avant de s'agenouiller devant lui pour détacher son pantalon. Les yeux de Jean-François brillent malgré l'obscurité.

MONTAGE PARALLÈLE entre le quatuor qui baise intensément et notre duo. La tension monte et l'activité des couples prend de la vigueur et du rythme.

La rouquine du *fab four* se laisse tomber sur le dos, visiblement épuisée par les ébats. Son partenaire du moment (on ne saura jamais vraiment qui est en couple avec qui) l'embrasse et s'assoit près d'elle.

Pendant ce temps, Jean-François atteint la phase du plateau juste avant l'explosion finale. Ses pupilles dilatées ne mentent pas. Julie, avec son bagage d'expérience, comprend que l'orgasme approche et redouble d'ardeur.

Du côté des échangistes, la deuxième femme cesse le va-et-vient de son cheval renversé. Elle se défait doucement de sa monture pour rejoindre sa copine en pause et lui parler. On ne distingue pas la teneur de la discussion, mais on peut imaginer un genre de «Faut que j'aille pisser, viens-tu avec moi?» puisqu'elles se lèvent et quittent la pièce ensemble.

Le regard de Jean-François se crispe soudainement. On peut lire dans ses yeux quelque chose comme «*Fuck*, c'est des filles qui vont aux toilettes à deux, même en pleine orgie…» ou plus simplement: «*FUCK*, Y RESTE JUSTE DEUX GARS!»

Julie, qui a remarqué la sortie du contingent féminin, continue sa fellation, par instinct de survie probablement.

*** Note sur le personnage: Julie est le genre de personne qui ne veut pas partir la première dans un party ou un souper de peur d'offusquer les hôtes. C'est sans doute ce qui l'incite à continuer et à rester une «bonne invitée».*

Jean-François arbore un sourire sympathique/terrorisé devant les membres restants du quatuor. Notre héros voudrait leur demander «Pensez-vous que les filles vont revenir bientôt?» mais il n'ose pas. L'un des hommes s'approche de Julie, qui lui fait dos, et se met à lui caresser le postérieur.

Julie lève les yeux vers son copain sans retirer l'engin de sa bouche (par instinct de survie probablement).

JULIE
(chuchoté et mal articulé)
Y me pogne le cul…
qu'est-ce que je fais?

JEAN-FRANÇOIS
Quoi?

JULIE
(plus fort et en sur-articulant malgré l'obstruction)
Y me pogne le cul,
qu'est-ce que je fais?

Une fureur s'empare du visage de Jean-François, qui devient rouge. Une veine apparaît au milieu de son front. On peut deviner que son rythme cardiaque s'emballe. Quand le *mélangiste* se met à prendre les seins de Julie, Jean-François réagit.

JEAN-FRANÇOIS
(furieusement jaloux)
On décrisse !

Jean-François remballe son matériel pendant que Julie sourit poliment à l'homme en s'excusant presque. Frustré, l'échangiste se retourne vers son ami. On ne peut distinguer ce qu'ils disent, mais on peut imaginer un sibyllin et direct: « Y sont donc ben *weird* et *stuck up.* »

Nos deux héros passent d'un pas très rapide devant L'HOMME À l'ACCUEIL qui les interpelle.

HOMME À L'ACCUEIL
Richard? Monique?… Vos manteaux !

Mais ils ne se retournent pas.

6 **INT. CHAMBRE À COUCHER DE L'APPARTEMENT DE JF ET JULIE – NUIT** 6

Au lit, Jean-François, anxieux, regarde le plafond, une main sur le ventre. Couchée sur le côté, Julie fixe le mur devant elle. Long silence où on n'entend pas une mouche voler (c'est l'hiver), mais où on sent une certaine stupéfaction. À moins que ce soit de la honte et du regret.

JEAN-FRANÇOIS
(repassant la soirée)
Si les deux filles étaient pas parties, ç'aurait pas été si catastrophique.

JULIE
T'oublies le pénis dans l'œil.

Jean-François se colle contre elle en cuillère. Il respire ses cheveux. Il regarde sa nuque, son dos découvert et le début de ses fesses. Il devient mal, ravale et demande:

JEAN-FRANÇOIS
Pour vrai, ça t'a-tu excitée quand il t'a pogné le cul?

JULIE
(mal à l'aise)
Je sais pas. J'étais plus concentrée sur ta réaction à toi.

Le regard de Jean-François se crispe.

JEAN-FRANÇOIS
Ça m'a tellement fait mal dans le ventre. J'avais l'impression que mes intestins, mon estomac pis mon foie allaient se dissoudre tellement ça brûlait. Je pensais pas que j'étais aussi jaloux et possessif. Fait chier.

Julie se retourne pour le rassurer et le prendre dans ses bras. On découvre l'œil rouge (veines éclatées) de Julie à la suite de l'impact du pénis.

JULIE
(mentant pour le rassurer)
Pour vrai, ça m'a pas excitée.

Ils s'embrassent.

FIN

Grand sportif né dans un corps d'intellectuel, Jean-François Asselin abandonne son rêve de jouer dans la Ligue nationale de hockey quand il n'est pas repêché lors de l'encan 1990 du Bantam B à Joliette. Poussé par des amis toxicomanes, il bifurque vers l'audiovisuel, domaine où il connaît rapidement du succès, à son grand dam. Malheureusement pour lui, ses courts métrages (*La petite histoire d'un homme sans histoire*, *Déformation personnelle* et *Mémorable moi*) gagnent une multitude de prix et le forcent à continuer dans cette voie. Il a ainsi réalisé des centaines de publicités et plusieurs séries, dont *Nos étés*, *Les pêcheurs* et *François en série*, qu'il a aussi scénarisée. Il persiste donc dans cet art puisque cette forme de reconnaissance est ce qui se rapproche le plus des bénéfices de la vie de hockeyeur étoile. À son grand dam, son cerveau volage est connecté à un cœur fidèle et romantique, ce qui le prive de beaucoup d'aventures sexuelles.

COMME LA FOIS OÙ MON VILLAGE A VRAIMENT PENSÉ VOIR ARRIVER LA COUPE STANLEY.

PAR CATHERINE THERRIEN

Là d'où je viens, on aime un peu trop la boisson. Ce n'est pas tout le monde qui peut faire le lien, mais ma théorie, c'est que ça nous est souvent pardonné parce qu'on est forts dans les sports.

On est forts à la balle-molle, aux quilles, au ballon-balai, en ski de fond, au soccer, au hockey.

Surtout au hockey.

Petite, j'ai connu les tournois de hockey-bottines familiaux à –35 °C et, ado, les fins de semaine dans les arénas à admirer l'amoureux promis aux gloires du midget AAA. Mais cette histoire-ci remonte à bien plus loin. Il faut se projeter au temps des patinoires extérieures, éclairées sans trop d'ambition avec de grosses ampoules 300 watts, des ampoules qui éclairaient ordinaire, mais qui éclairaient pareil. Assez pour permettre à tout le monde de voir naître les légendes locales.

Mon père me raconte souvent la légende du Blanc Vachon, ainsi nommé parce qu'à vingt ans tous ses cheveux l'étaient déjà. Coqueluche locale malgré cette précoce condition, il aurait eu plusieurs fils, mais c'est l'aîné qui hériterait de son grand talent et incendierait les foules à son tour. S'il s'appelait Miguel, tous l'appelaient Coton: un franc-tireur qui ne faisait pas vraiment dans la dentelle. Il était coutume d'entendre un père dans les estrades dire à son fils:

— Fais juste attention de pas t'faire ramasser par Coton.

Coton protégeait son petit frère Roland, et Roland avait peur du Sourd, un redoutable défenseur. Le Sourd, muet de surcroît, n'entendait pas siffler l'arbitre. Il fallait lui taper sur l'épaule pour lui signifier que sa double mise en échec n'était pas passée inaperçue.

Des bons joueurs, il en pleuvait dans les petites comme les grandes ligues, et dans les tournois intervillages on se disait que c'était vraiment trop dommage qu'on soit si loin de la ville: les éclaireurs de la Ligue nationale ne passaient pas souvent dans le coin.

Mais le vrai problème était que les hommes avaient le *slap shot* aussi puissant que le coude léger.

Le vendredi, les gars avaient à peine punché *out* qu'ils commençaient à boire: personne ne les blâmait de vouloir se dédommager des soixante-dix heures qu'ils avaient dans le corps. Et comme l'alcool venait à la fois combler un creux de fatigue et de fureur, on pouvait gager un dix que ça allait mal finir. Que tôt ou tard la chicane allait pogner à l'Hôtel Drolet — une institution qui tenait toujours debout vingt ans plus tard lorsque je la baptisai de ma première brosse en bonne et due forme. Dans le temps, on savait aussi que, dans les échauffourées, les futures stars de hockey allaient être épargnées.

On s'affrontait entre villages, et la seule et unique raison pour laquelle on s'entassait à cinq dans le char pour franchir les lignes ennemies, c'était pour se battre, point final. Ou pour venir accrocher les filles locales, ce qui s'équivalait parce qu'à tout coup, on réunissait les plus grands éléments d'un drame: de belles jeunes femmes célibataires, coincées entre d'anciens amants éconduits et de futurs soupirants un peu saouls.

Ce climat de terreur était nourri par la rivalité toute naturelle que se léguaient plusieurs familles de génération en génération. Pour déterminer l'issue des bagarres, il fallait se plier à deux implacables lois: celle de la force physique et celle encore plus traître du nombre. Il n'était pas rare qu'on appelle en renfort un frère plus vieux, marié, et que celui-ci débarque à l'hôtel prêter main-forte dans la mêlée.

Ces gars-là étaient de bons pères de famille, des oncles généreux, des frères protecteurs, le genre de cousin qui vient te déménager avec son *pick-up*, mais ils avaient le sang chaud. Et ils avaient soif.

Le tableau se résumait ainsi, selon une pseudo-entente tacite qui traversait les générations:

Les Brunet de Woburn: de vrais de vrais batailleurs. Du genre à même mâcher leur gomme de façon agressive.

Les Gagnon de Saint-Gédéon: des fous. Fallait se tenir loin. Avec leurs gros traits et leurs petits fronts, ils avaient quelque chose d'animal.

Les Binette de Saint-Ludger: ceux-là avaient tellement la mèche courte qu'ils se battaient même entre eux autres.

Les Lapointe de Lac-Drolet: des traîtres sauvages. Le petit Nelson avait déjà presque crevé un œil avec sa barre à jack à Sylvain Lessard, dit « L'Beigne », pour avoir ri de son char.

À Lac-Drolet, il y avait aussi les Beaudoin: des gros gars forts. Et un peu baveux.

Comme tout le monde, ces Beaudoin-là buvaient de la bière, sauf que, pendant que n'importe qui en prenait une p'tite, ils en descendaient une grosse. Six frères de deux lits différents, unis sous la toute-puissance de la bouteille.

Le plus impressionnant était que, de par leur constitution, ces machines-là n'étaient pas *saoulables*. Chez nous, on aimait mieux faire dans l'hyperbole funeste et on disait: pas tuables.

« Le petit Nelson avait déjà presque crevé un œil avec sa barre à jack à Sylvain Lessard, dit "L'Beigne", pour avoir ri de son char. »

En plein milieu du clan se trouvait le grand Réjean. Personne n'avait jamais osé lui toucher : beaucoup moins baveux que les autres, il était à la fois drôle et imposant. Il inspirait respect et déférence. Et il était surtout bon au hockey.

Bâti, rapide et talentueux, il avait sur patins la superbe d'une étoile filante… à qui on aurait mis un costume de grizzly. Justement, son surnom résonne encore dans les derniers retranchements de mon comté : l'Ours, mais prononcé à l'ancienne, l'Oure.

Ce surnom lui était venu à la fois de sa légendaire complexion (deux cent cinq livres à treize ans et demi), et d'un hasard historique plutôt comique : l'année de son entrée au secondaire coïncidait avec l'avènement de la carte d'assurance-maladie. Avec la juxtaposition des trois premières lettres du nom de famille et de la première du prénom, Réjean Beaudoin s'était retrouvé avec BEAR. C'est le directeur de l'école, monsieur Tanguay dit « Carotte », qui le lui avait traduit. Ça lui avait vite « collé ». Mais comme on n'est pas du genre à laisser le hasard dicter le contour de nos légendes, plus tard on ne sursauterait même pas lorsqu'on entendrait :

— Y paraît qu'au gouvernement y'ont accepté d'écrire BEAR sur la carte-maladie de l'Oure.

Tout le monde sans exception aimait donc l'Oure, alias Réjean Beaudoin. Encore aujourd'hui sa légende survit. Je tiens d'ailleurs cette histoire de mon père et de mes oncles, fils de cultivateurs, nés dans un rang — destin qui serait aussi le mien. Dans le temps, les gars des rangs avaient pris l'Oure en affection de par son audacieuse prise de position au cœur d'une autre rivalité rurale, tout aussi mythique que celle des familles de fiers-à-bras : celle des rangs *vs* les villages.

Il faut remonter au temps des écoles de rangs, qu'un jour il a fallu fermer sous prétexte que l'on se révolutionnait tranquillement. Cette transition ne s'est pas faite sans heurts : en entassant quarante-huit jeunes des rangs, trois par banc, dans des autobus scolaires flambant neufs pour les amener au village, c'est tout un équilibre social qu'on allait bouleverser.

Si les enfants des rangs allaient enfin cesser de marcher des kilomètres dans la poudrerie pour aller se faire enseigner la catéchèse dans une école chauffée par la maîtresse elle-même, ils n'avaient par contre pas fini de se faire écœurer. Au village, on se pensait supérieurs, ça, personne n'en doutait. Et devant la horde de jeunes gars de ferme qui s'en venaient étudier auprès des élus, les mères s'insurgeaient: pas question qu'ils viennent «retarder» leurs petits parfaits. À ce qu'on racontait, les enfants des rangs écrivaient mal et en plus ils écrivaient au son.

Mais si ceux-ci sentaient l'étable, ils étaient aussi forts et vaillants. Pendant qu'ils passaient l'été à s'échiner dans les champs à «faire les foins», les gars du village «faisaient pâtir»: ils s'ennuyaient à mourir avec leur bicyclette neuve à peine usée et leurs beaux souliers de chez Sears.

Quand les enfants des rangs descendaient jouer au village pour une partie de hockey-balle ou de ballon coup de pied, les équipes se formaient en silence sans que rien ne soit nommé: Rangs *vs* Village.

Une année, Réjean Beaudoin aurait décrété sans plus de cérémonie, les genoux déjà tout labourés l'été à peine entamé:

— Moi, je joue avec les rangs.

Faut savoir que même s'il venait du village, il était fils de cultivateur et sentait donc sûrement l'étable. Qu'à dix ans il en faisait facilement quatorze. Et que s'il avait décidé qu'il ferait gagner les rangs, il ferait gagner les rangs.

Ses nouveaux coéquipiers étaient très contents; les gars du village allaient en manger toute une.

Ces derniers boudaient. Avec Beaudoin qui désertait, ils n'avaient plus aucune chance, pas plus au ballon coup de pied qu'au ballon-chasseur qu'à tous les autres ballons du monde.

Mais c'est avec une rondelle que la splendeur de Réjean Beaudoin éblouissait le plus.

Gros joueur d'avant défensif, il était installé dans l'ascendance d'un Dale Lewis ou, un peu plus tard, d'un Bob Gainey. Le plus étonnant, c'est qu'il n'avait commencé à patiner qu'à quatorze ans: un fulgurant talent découvert sur le tard, de l'ordre des Yvon Lambert ou des Joe Mullen. Quand il chaussa ses patins pour la première fois — des treize — sur la rivière gelée qui court encore aujourd'hui derrière la maison de mes parents, tout le monde s'est entendu pour dire que c'était tout comme s'il était né avec ça dans les pieds. Lui le premier.

Son passage dans le Royal, l'équipe du junior B des Cantons-de-l'Est de Mégantic, relevait de la fulgurance et il avait vite été propulsé dans les hautes sphères du junior A (l'ancien junior majeur) avec les Castors de Sherbrooke. Parmi les Castors, l'Oure défendait l'aile droite et se retrouverait bientôt affecté à surveiller nul autre que Guy Lafleur. Dans mon village, la gloire sportive de Réjean Beaudoin était devenue affaire publique; partout on prophétisait sur ses exploits à venir. À ce qu'on disait, le président du Canadien de Montréal, Ronald Corey lui-même, aurait voulu mettre le grappin dessus mais s'y serait pris trop tard. En effet, en 1973, sa légende s'est plutôt déposée à New Haven, au camp d'entraînement des North Stars du Minnesota. À vingt-deux ans, Réjean laissait derrière lui la belle Francine prête à se faire passer la bague au doigt et tout un village qui prenait des raccourcis en le voyant déjà ramener la Coupe Stanley.

À l'époque, les North Stars étaient un jeune club qui tentait sérieusement de se faire une place dans la Ligue nationale. La pression était forte et chaque coup de patin était scruté, compté, comptabilisé. Malheureusement pour le clan Beaudoin et pour tous les paroissiens, le premier jour du camp d'entraînement sonna le début du glas pour notre grand Réjean.

Si près du rêve, si près du but, il y a quelque chose qui a réveillé la bête en l'Oure et ce petit quelque chose là n'avait rien à voir avec le talent ni l'ambition. Parfois, il faut croire que même nos gènes en viennent à se faire compétition.

Partout le bruit courait que pour se calmer les nerfs, la veille du camp, il avait bu une bière, puis une deuxième et qu'après il avait arrêté de compter. Si bien qu'au petit matin, il serait arrivé au camp d'entraînement joliment paqueté.

Confronté à la rumeur publique, Réjean Beaudoin aurait été catégorique:

—Jamais la boisson m'aurait empêché de monter.

Il parlait bien sûr de monter de ligue, de gravir les échelons. Plus tard, grâce à un ou deux cours de psychologie au cégep, j'ai été capable de parler d'acte manqué, d'*acting out*. Dans ce temps-là, tout ce qu'on avait trouvé à dire, c'est qu'il avait manqué de sang-froid. Réjean Beaudoin expliquait humblement que c'était une question de calibre, qu'à vingt-deux ans il n'était pas de l'engeance des futurs vétérans. Mais il était sûrement plus facile pour tout le monde d'accuser la bouteille de nous avoir ravi notre espoir local.

Parce qu'il avait vraiment du talent, les Stars l'ont gardé quelque temps dans la ligue américaine, puis dans leur filiale internationale à Saginaw, au Michigan. Pas longtemps après, c'est toute une paroisse qui comprit le sens du mot *retranchement*.

C'est le gars de la sécurité du moulin à scie du village qui l'a d'abord vu surgir dans l'aurore du lundi matin. L'Oure rentrait au bercail. Ils l'ont pris immédiatement; au moulin, on avait toujours besoin de gars forts comme lui pour piler de la planche de bois d'épinette dans la cour.

La légende du grand joueur déchu s'évanouit petit à petit: dans mon village, on n'aime pas ça ressasser de vieilles histoires; on aime mieux se rendre tous complices du confort de l'amnésie collective. De toute façon, Réjean Beaudoin n'aurait pas été du genre à se promener avec une face de condamné: il venait de s'accoter avec Francine et il avait laissé entendre qu'il n'haïrait pas ça s'essayer à la balle.

Suivant celle des saisons, la trajectoire sportive des hommes les amenait tôt ou tard à la balle-molle. C'était le propre des grandes comme des petites légendes locales de mourir dans des ligues de balles inoffensives. La balle-molle tenait son art dans l'éloge de la lenteur, ce qui seyait mieux de toute façon à ces stars vieillissantes. Leur fougue battait maintenant d'une tout autre mesure, celle des caisses qui se vidaient et des bières toujours fraîches qu'on amenait presque au premier but. Dans le ciel rosé qui surplombait les champs, les cours d'école et les pics de gravelle où les joutes s'improvisaient, le temps, comme les chandelles à l'avant-champ, mourait lentement.

Faut savoir que Réjean Beaudoin, en plus de son extraordinaire talent dans les sports, était un grand comique. Dans le temps, jouer des tours consistait trop souvent à hisser de gros objets en hauteur: on se prenait à trois pour monter un petit tracteur ou une vieille mobylette sur le toit d'un garage. Réjean Beaudoin était passé maître dans cet art et tout le monde avait reconnu sa signature quand, une fois, à l'aube, le sacristain avait trouvé la Dodge Coronet 67 du plus vieux des Tanguay bien parkée sur le perron de l'église.

Il maniait le verbe tout aussi bien que le bâton et il pouvait convaincre n'importe qui de n'importe quoi. Dans une soirée dansante, il avait déjà fait croire à Toe-Cap — futur entrepreneur en construction qui arborait déjà le cap d'acier même en plein été — que la sœur du grand Pierre, du village voisin, était championne internationale de claquettes. Et que ça lui ferait vraiment plaisir si Toe-Cap allait le féliciter, en lui demandant de passer le mot à ladite sœur depuis longtemps exilée dans le coin d'Ottawa. Au début, Toe-Cap a rechigné, mais Réjean a tellement insisté qu'il s'est décidé. La scène qui s'est ensuivie est encore aujourd'hui racontée de foyer en foyer comme la quintessence du coup le plus chien jamais perpétré.

Toe-Cap au grand Pierre:

— Heille, tu diras félicitations à ta sœur, paraît que c'est toute une danseuse de claquettes.

— Qu'est-ce tu dis là? Ma sœur est paralysée des deux jambes depuis la naissance mon innocent!

Réjean s'était bien sûr arrangé avec le grand Pierre pour faire niaiser Toe-Cap: la sœur paraplégique n'avait jamais existé. Ça avait failli mal virer: le grand Pierre prenait son rôle fictif de frère insulté un peu trop au sérieux.

Retour sur le diamant. À la balle on disait de Réjean Beaudoin qu'il « s'organisait juste pour être bon », qu'il s'était juré de ne plus jamais se mettre de pression. Pour certains, s'il évoluait au premier but, c'était simplement parce qu'il était « gaucher naturel » et que les gauchers ramassent la balle plus rapidement. C'est bien connu. Des mauvaises langues colportaient que ça faisait son affaire de ne pas être au champ parce que ça le gardait de trop courir. La seule chose qui brillait encore de sa gloire sportive était les souvenirs sacrés qui erraient sûrement quelque part dans les lumières de sa propre mémoire.

Lors d'un tournoi amical en plein juillet, alors que l'Hôtel Drolet venait de perdre la partie en sept manches serrées aux mains de Portes et Fenêtres Gaétan Vallée de Mégantic, c'est Pierre Poulin, le lanceur étoile, qui avait vu en premier l'Oure s'affaisser sur le banc. Il se serait mis à fixer le vide, puis à convulser. Au début, les gars ont ri (c'était son genre de niaiserie), mais après un petit bout c'est devenu moins drôle. Tous valsaient entre l'ignorer le temps qu'il arrête de faire le cave et commencer à vraiment s'inquiéter. C'est vrai que, dans un monde où sitôt les joutes terminées on est déjà supposé être accoudé au bar du coin, la raillerie mal placée peut passer pour un manque de solidarité.

Jusqu'à ce que le gros Ricky, de sa verdeur proverbiale, se fâche:

— Beaudoin, lève-toi debout tabarnak!

Personne ne désobéissait au gros Ricky.

Ça n'a pas pris quinze minutes que l'ambulance est arrivée. Sûrement un record.

Au petit hôpital de Lac-Mégantic, ils n'ont pas pris de chance et ils l'ont monté à Sherbrooke dès que le mot *ACV* a été prononcé. Au CHUS, aussitôt réveillé, il aurait eu une demande urgente, et les premiers mots qu'il aurait prononcés ont été pris avec autant de sérieux que le commandait l'autorité de sa voix encore chevrotante. Quand la petite infirmière est apparue dans la salle d'attente pour annoncer qu'il demandait absolument à voir monsieur Ronald Corey, il n'y a eu personne pour la blâmer: elle n'avait fait qu'obéir. Et personne n'en reparlerait vraiment à Réjean: des fois, les fantômes du passé surgissent des ténèbres où ils gisent. Et on n'a juste pas le choix de les écouter.

Quand le médecin spécialiste a pris le temps de jaser avec Francine et qu'il a appris qu'il avait affaire à un ancien joueur du calibre de la Ligue nationale, il n'a été ni surpris ni pris de court:

— Regardez-y la *shape*, qu'il a dit. On dirait un oure.

Contrairement à plusieurs victimes d'AVC (anciennement prononcé «ACV»), Réjean Beaudoin n'a pas été paralysé. Le grand sportif a certes boité, bégayé et il y en a certains pour dire que, même s'il s'est remis vite, il est toujours resté avec un petit quelque chose. D'autres attribuent plutôt sa bonne fortune à la Providence: il est plus facile pour un «gaucher naturel» de se remettre à parler après un AVC. C'est bien connu.

Catherine Therrien est une réalisatrice et une scénariste qui a étudié à l'UQAM et n'en regrette aucune minute de grève. Depuis, sa vie professionnelle oscille entre documentaire et fiction, selon la clémence (du grand dieu) des subventions. Elle s'intéresse plus particulièrement à l'univers des enfants et des ados (mais elle apprécie tout de même la présence des adultes). Elle a collaboré pendant plusieurs années à *Urbania*, signant nouvelles et articles pour le magazine papier et le blogue, dans lesquels elle s'est surtout fait connaître grâce aux petites et grandes histoires de son village natal.

COMME LA FOIS DU SUPER PARTY SANS ENFANTS !!!

PAR NICOLAS LANGELIER

Quand on pense *histoires*, on pense naturellement à celles tirées du passé. Ce sont les histoires des mythes et des légendes, et celles que nous nous racontons depuis la nuit des temps, autour d'un feu de camp ou d'une tasse de café.

Mais il y a une autre sorte d'histoires: celles que nous imaginons à propos d'un futur toujours incertain. Ce peut être le futur immédiat («Lors de notre rencontre, cet après-midi, je vais m'assurer de sourire et de ne pas laisser paraître ma frustration») ou le futur très éloigné («Un jour, je tournerai le dos à cette existence frénétique qui ne mène à rien et, sur ma terre au bord du fleuve, je m'occuperai de mon potager et de ma vie intérieure»), et tout ce qu'il y a entre les deux.

Adolescent, il me semble que ma vie tout entière tournait autour des histoires futures. Toutes les choses que je ferais, dans cet avenir doré, mais aussi toutes celles que je risquais un jour de regretter de ne pas avoir faites si je n'agissais pas maintenant ou à tout le moins très bientôt.

Cela menait chez moi à une certaine obsession pour le temps. À seize ou dix-sept ans, quand, tard dans la nuit, je revenais d'un party de cégep ou d'une virée dans les bars du centre-ville et que j'étais saoul mais encore plein d'énergie, je m'assoyais sur mon lit et écrivais des poèmes mélodramatiques, bourrés de références à ce temps qui passait beaucoup trop vite et aux décisions cruciales que je devais prendre avant que ma jeunesse ne soit éventée. Puis, quand les lueurs de l'aube commençaient à découper la silhouette des raffineries de Montréal-Est, j'éteignais ma lampe et dormais jusqu'à midi. *Carpe diem*, mais pas trop tôt, quand même.

J'ai encore ces cahiers et je les ai relus récemment, assis sur un autre lit, dans un autre millénaire et dans une réalité très différente de celle que je m'étais souhaitée. Vingt-cinq ans plus tard, c'est ce qui transparaît le plus dans ces écrits: le désir un peu désespéré que les histoires que je me raconterais un jour soient à la hauteur de celles que je m'étais imaginées, plus jeune.

Mais bien sûr, ça n'a pas empêché le temps de filer et moi, de gaspiller l'équivalent d'années entières dans des poursuites futiles, dans des activités insensées et dans une quantité sûrement désolante de jeux de patience. Et maintenant, nous n'avons plus quinze ans mais quarante et nous organisons des événements comme celui-ci : le « Super party sans enfants !!! » Nous nous assoyons alors dans la cour de Sarah par une douce soirée d'été qui sent l'herbe coupée et la fumée de barbecue, mangeons dans des assiettes en carton, buvons du vin de bien meilleure qualité et prenons des nouvelles les uns des autres.

La soirée passe rapidement, entre les blagues et les anecdotes, et à un certain moment il est tard, la nuit est splendide, le volume de la musique a été monté pour un *hit* de Depeche Mode que nous aimons depuis toujours. Assis dans une chaise de jardin, je regarde les filles danser sur la pelouse, comme lors de notre après-bal en 1990, quand nous souhaitions que le DJ sauve notre âme avec une chanson et que tout ceci — un bungalow cossu dans l'Ouest-de-l'Île, nous presque pareils en dedans au fond, mais juste plus vieux, le concept même de « Super party sans enfants !!! » — n'était pas une conclusion possible à nos poèmes.

Je regarde les filles, donc, la scène se fondant dans mon esprit à tant d'autres situations similaires. On ne se voit plus très souvent, maintenant, les aléas de la vie et le travail et les enfants nous ont graduellement séparés, alors ça donne chaque fois une sorte de coup au cœur de les revoir, Sarah, Karine, Mélanie et les autres, leurs visages si familiers mais modelés par le temps, toujours là malgré les années qui nous sont passées sur le corps, avec leur lot d'amours fanées, de remords et de souffrances.

Ce n'est pas tout le monde qui est encore là. Quelques-uns se sont suicidés, d'autres sont morts dans des accidents ou des circonstances naturelles, d'autres ont été perdus au profit de la maladie mentale ou des dépendances de toutes sortes. Certains vivent en Australie ou en Italie, certains se sont enrôlés dans les Forces armées canadiennes. Le conjoint de Mélanie est décédé subitement au début de la trentaine, la laissant seule avec trois jeunes enfants dans une lointaine banlieue. La vie, juste la vie.

Nous avons notre propre folklore maintenant, nos propres légendes, nos histoires maintes fois racontées, plusieurs niveaux de liens complexes entre nous, une longue liste de chansons pop associées à une tout aussi longue liste de souvenirs: la fois à Orford, la fois à la marina de Repentigny, la fois où Untel a fait telle chose aux Foufs ou celle où on s'est retrouvés à slammer avec des skinheads dans une salle paroissiale de Longue-Pointe et que ça a fini en bataille.

C'est ce qu'il nous reste de tout ça, de ces décennies écoulées, de ces chassés-croisés existentiels: une poignée d'histoires.

Un exemple au hasard: Sarah dans un party à dix-sept ans, assise à côté de moi sur une banquette, tentant de noyer dans le schnaps aux pêches la douleur d'une peine d'amour. À un certain moment, elle avait posé sa tête sur mon épaule, mais — figé par cette proximité soudaine ou les scrupules — j'avais été incapable de prendre les choses en mains. Un ami n'avait pas eu les mêmes hésitations, cependant, et ils s'étaient embrassés longuement, juste à côté de moi sur la banquette. Puis il avait été trois heures du matin et nous nous étions retrouvés dehors par une nuit glaciale, en plein milieu du Plateau-Mont-Royal et donc très loin de chez nous. Mais parce que nous n'avions plus d'argent, nous avions marché pendant plus de deux heures par moins vingt degrés. J'avais raccompagné Sarah chez elle, dans le Nouveau-Rosemont; des larges rues désertes et des vignes couvertes de glace, baiser rapide sur la joue, bonne nuit, bonne nuit, à lundi, puis j'avais franchi péniblement les trois ou quatre kilomètres supplémentaires jusque chez moi, avec des engelures et des ampoules aux pieds, chevaleresque mais incapable de faire la seule chose que j'aurais vraiment voulu faire.

C'est souvent ainsi que l'on est, à dix-sept ans comme à quarante: incapable de devenir le héros de nos propres histoires. Des machines à regrets, malgré tous nos souhaits contraires.

« Super party sans enfants !!! » : l'événement Facebook s'appelle comme ça, mais dans les faits, les enfants ne sont jamais loin, sujets d'une conversation sur deux. Ce que le plus vieux a fait ou dit, ce que la plus jeune veut faire quand elle sera grande, le récit de la naissance du petit dernier.

« Je regarde les filles danser sur la pelouse, comme lors de notre après-bal en 1990, quand nous souhaitions que le DJ sauve notre âme avec une chanson. »

Karine et moi faisons partie des rares non-parents, et nous nous retrouvons dans un coin tranquille à discuter de cette non-parentalité. Les bonnes conditions qui ne se sont jamais tout à fait présentées. L'amour qui s'est avéré une chose beaucoup plus inhabituelle et difficile à gérer que prévu. Tout ce qu'il y a d'autre à faire, dans la vie. Le temps qui passe tellement vite et soudainement la vingtaine est finie, la trentaine est finie et les circonstances n'ont jamais été aussi peu propices.

Des regrets ? Peut-être. Mais rapidement enterrés sous les raisons pour lesquelles ça n'a juste pas été ça, notre vie. Les autres choix qu'on a faits. Les autres joies qu'on a vécues.

En cinquième secondaire, notre professeur d'anglais nous avait fait apprendre *The Road Not Taken* de Robert Frost. Un nombre incalculable de fois, ses vers avaient résonné contre le béton des murs de la classe, énoncés par une Sarah qui ignorait qu'elle serait plus tard agente de bord et mère de famille divorcée, par une Karine qui n'avait aucune idée qu'à quarante ans elle serait célibataire et sans enfants dans sa petite maison du Vieux-Rosemont, par une Mélanie qui ne savait encore rien de la douleur profonde, lancinante de voir le monde s'écrouler du jour au lendemain. Et par moi, bien sûr, qui ne savais encore rien rien rien, la tête remplie d'histoires glorieuses.

I shall be telling this with a sigh
Somewhere ages and ages hence:
Two roads diverged in a wood, and I—
I took the one less traveled by,
And that has made all the difference.

C'est un poème qui, de prime abord, semble parler du mérite qu'il y a à choisir le chemin le moins fréquenté. Le texte apparaît comme une glorification de la marginalité, des rebelles qui marchent au rythme de leur propre tambour.

Mais quand on lit attentivement, comme je peux le faire aujourd'hui avec ma meilleure maîtrise de l'anglais et les informations complémentaires de Wikipédia, on voit que c'est un poème qui dit en fait quelque chose de complètement différent.

Le sujet/poète est immobile dans une forêt. Devant lui, une fourche. Il doit prendre une décision. Les deux chemins sont identiques, aussi peu fréquentés, tout autant recouverts de feuilles mortes. Il n'arrive pas à voir où chacun mène, il hésite. Il finit par opter pour celui qui lui semble le plus agréable, se disant qu'il prendra l'autre une autre fois, comme on se dit toujours, quand on est confronté à un choix difficile, qu'on pourra revenir sur notre décision. Mais il/on sait bien, au fond, que ce n'est pas vrai: une décision mène à une situation qui mène à une autre qui mène à une autre, à perpétuité. On ne peut *jamais* revenir en arrière.

Alors le gars prend un chemin tout en sachant qu'un jour il le regrettera, parce qu'il ne saura jamais les merveilles que l'autre lui réservait.

Alors, pour atténuer ses regrets futurs, il choisit de (se) mentir: plus tard, il racontera qu'il a pris le chemin le moins fréquenté, et que cela aura été pour le mieux.

Enfants des grands espaces à faible densité de l'est de Montréal, la mobilité automobile était pour nous essentielle, et une part considérable de notre adolescence s'est déroulée dans les voitures de nos parents conduites trop vite, trop tard, avec trop d'alcool dans le sang. Quand je repense à cette époque, beaucoup d'histoires qui me viennent à l'esprit impliquent donc des modèles des années 80 et les rues et boulevards d'un vaste territoire que nous parcourions dans tous les sens, sous les lampadaires au sodium.

Mais voici un nouveau souvenir tout frais, une sorte de mise à jour: Karine, Mélanie et moi revenant tard du «Super party sans enfants!!!», avec la chaîne stéréo de la voiture qui joue très fort des chansons de notre jeunesse alors que nous ne sommes plus particulièrement jeunes, mais pas encore particulièrement vieux. Au beau milieu de notre existence, en fait, si on se fie aux plus récentes statistiques sur l'espérance de vie dans la province de Québec.

De ce point de vue parfaitement symétrique, assis au milieu de la banquette arrière, je pourrais comparer les histoires passées, celles que nous avons vécues pour vrai et celles que nous avons jadis souhaité vivre un jour, mais aussi celles qu'il nous reste pour donner un sens à ce qu'il nous reste de vie à vivre. Dans un autre contexte, il y aurait peut-être lieu de faire une sorte de bilan comptable de tout ceci: mettre les joies dans la colonne de l'actif et les souffrances dans celle du passif, écrire certaines choses en noir et d'autres en rouge, soustraire les douleurs des moments de bonheur.

Mais il y a la voiture japonaise des années 2010 filant sur la 40 déserte, vers l'est, et la maison et la vraie de vraie vie que nous menons maintenant, que nous le voulions ou non. Il y a Karine qui chante à voix haute et Mélanie qui s'apprête à raconter une histoire drôle, et il me vient brièvement la conviction que nous n'avons pas perdu notre temps, tout au long de ces décennies, et que celles vers lesquelles nous fonçons à 120 km/h seront baignées par la même lumière dorée que l'autoroute, et que tout cela était pour le mieux, et pendant un instant tous mes regrets s'effacent et ma tristesse disparaît.

Nicolas Langelier est rédacteur en chef du magazine *Nouveau Projet* et directeur de la maison d'édition Atelier 10, qu'il a tous les deux fondés. En tant que journaliste, il a été finaliste aux Prix du magazine canadien en 2008 (essais), en 2012 (reportages) et en 2014 (essais). Il a publié des livres à La Pastèque, aux 400 coups et au Boréal. Son roman *Réussir son hypermodernité et sauver le reste de sa vie en 25 étapes faciles* a été finaliste au Prix des libraires du Québec en 2011. Il est né en 1973 dans l'est de Montréal.

REMERCIEMENTS

Pour s'embarquer dans un projet tel que *Comme la fois*, malgré deux carrières de publicitaires bien remplies, ça prenait beaucoup de motivation. Et beaucoup de naïveté.

Merci à Martin Balthazar de nous avoir suivies dans cette aventure.

Merci à nos amoureux, Jean-Pierre et Xavier, de nous avoir partagées avec vingt-trois inconnus pendant toute une année.

Merci à Marie-Pier Gilbert pour le design complet de l'objet; parfois, la beauté extérieure, ça compte.

Merci à Claude, qui nous a privées de son talent de bédéiste, mais pas de son œil de gourou.

Merci à Elsa, plus grande fan du blogue *Comme la fois* à ce jour.

Merci à Ariane, Myriam, Sophie et Sylvie.

Et surtout, merci aux vingt-trois braves qui nous ont confié des pans intimes de leurs vies; ce livre est beau, émouvant, hilarant et sexy grâce à vous.

Geneviève et Marie-Eve,
presque prêtes pour le tome 2.

TABLE DES MATIÈRES

AUTEURS

Cet ouvrage composé en Brown Light corps 12 a été achevé d'imprimer au Québec sur les presses de Marquis Imprimeur le vingt-sept octobre deux mille quinze pour le compte de VLB éditeur.